LE VOL DE L'AIGLE

COLLECTION KRISHNAMURTI

Du même auteur chez les mêmes éditeurs :

DE L'EDUCATION

L'IMPOSSIBLE QUESTION

KRISHNAMURTI

LE VOL DE L'AIGLE

Traduction de ANNETTE DUCHÉ

2e édition

DELACHAUX ET NIESTLÉ PARIS

ISBN 2-242-00078-0

Avant-propos

« L'illumination ne peut pas vous être donnée par un autre. Il ne peut y avoir illumination qu'avec la compréhension de la structure et de la nature du moi. C'est lui qui est cause de la confusion, de la violence et de la division qui règne entre les hommes, la racine de toute souffrance. » Au courant de ces causeries, Krishnamurti fait remarquer que dans notre pensée habituelle, même quand elle est tournée vers des sujets graves, nous sommes beaucoup trop portés à verbaliser et à conclure. Nous ne regardons jamais le problème lui-même. Pour Krishnamurti, la « vision » et l'attention éveillée sont beaucoup plus importantes que n'importe quelle idée. « Nous sommes terriblement conscients des choses extérieures, dit-il, mais intérieurement nous sommes aveugles. » Nous sommes incapables d'aborder ces questions vitales qui se posent à l'humanité — telles que le conflit, la violence, la peur, la liberté possible, la paix, l'extase — à moins de comprendre l'entité qui regarde et qui pense. Si l'observateur est embrumé par ses préventions et aveugle à lui-même, il ne connaît pas les déformations de sa conscience — et ce sont peut-être précisément ces déformations qui sont la substance des problèmes dont nous sommes prisonniers. Partant de là, Krishnamurti parle longuement d'une autre manière de voir, une vision sans observateur et excluant la dualité.

Les dialogues ou discussions de la deuxième partie nous invitent à examiner les erreurs fondamentales de notre façon d'aborder la vie et ses problèmes. Ce ne sont pas des discussions poursuivies au niveau verbal : pas de conclusions arrêtées, de problèmes résolus. Nous nous trouvons devant une autre façon de penser et Krishnamurti s'efforce, en mettant ses interlocuteurs au pied du mur, d'indiquer la porte qui débouche sur l'inconnu. Il ne dénigre pas la science ni la recherche scientifique, mais il parle d'un principe transcendant ; un trajet sans « chemin » qui, tel le vol de l'aigle, ne laisse derrière lui aucune trace.

« L'aigle dans son vol ne laisse aucune trace derrière lui, à l'encontre du savant. S'agissant de cette question de la liberté, la rigueur de l'observation scientifique est requise, mais aussi le vol de l'aigle qui ne laisse aucune trace. »

Compte rendu exact des Causeries et Discussions de Londres, Amsterdam, Paris et Saanen (Suisse)

PREMIÈRE PARTIE

Causeries et questions

Chapitre Premier

LIBERTÉ

Pensée, Plaisir et Souffrance

(Londres, 16 mars 1969)

La liberté est pour la plupart d'entre nous une idée, ce n'est pas une réalité. Quand nous parlons de liberté, il s'agit de liberté extérieure : agir selon notre fantaisie, voyager, pouvoir librement nous exprimer de façons diverses, penser ce qu'il nous plaît. Son expression extérieure nous apparaît extraordinairement importante et plus particulièrement dans les pays où sévissent des tyrannies, des dictatures ; et dans ceux où la liberté extérieure est possible, on recherche toujours plus de plaisir, de plus en plus de possessions.

Si nous voulons approfondir ce qu'indique ce mot, ce que cela implique que d'être totalement et complètement libre intérieurement — liberté qui dès lors se manifeste extérieurement dans la société, dans tous nos rapports — il me semble que nous serons amenés à nous demander si l'esprit humain, lourdement conditionné comme il l'est, peut jamais être ce qu'on appelle libre. Doit-il forcément toujours agir et fonctionner dans les limites imposées par son propre conditionnement, de façon qu'il n'y ait aucune possibilité de liberté d'aucune espèce? On s'aperçoit dès lors que l'esprit, ayant compris verbalement qu'elle n'existe pas dans ce bas monde, ni intérieurement ni extérieurement, se met à inventer une liberté pouvant exister dans un autre monde, une liberté future, un paradis et ainsi de suite.

Rejetez donc tous les concepts théoriques et idéologiques de cette notion, nous permettant ainsi d'examiner si notre esprit, le vôtre, le mien, peut jamais être réellement libre, dégagé de toute dépendance, de toute peur, de toute anxiété, et des innombrables problèmes, à la fois ceux qui sont conscients et ceux qui se dissimulent dans les couches profondes de l'inconscient. Peut-il exister une liberté psychologique complète permettant à l'esprit humain de déboucher sur un « quelque chose » qui soit intemporel, qui ne soit pas une construction de la pensée, pas plus qu'une évasion devant les réalités immédiates de la vie quotidienne?

A moins que l'esprit humain ne soit psychologiquement, intérieurement, complètement libre, il ne lui est pas possible de distinguer ce qui est vrai, de voir s'il existe une réalité qui ne soit pas une invention de la peur, qui ne doive pas sa forme à la société ou à la culture au sein de laquelle nous vivons, et qui ne soit pas une évasion devant la monotonie du quotidien avec son ennui, sa solitude, son désespoir, son anxiété. Pour découvrir si une telle liberté existe véritablement, il nous faut

prendre conscience de notre conditionnement, des problèmes, de la monotone superficialité, de notre carence, de
l'insuffisance de notre vie quotidienne et au-dessus de tout,
il nous faut prendre conscience de la peur. Cette prise
de conscience ne doit procéder ni par introspection ni par
analyse ; il s'agit de nous sentir nous-mêmes avec lucidité,
tels que nous sommes, et de voir s'il nous est le moins
du monde possible d'être complètement affranchis de
toutes ces questions qui paraissent encombrer notre esprit.

Pour regarder comme nous allons le faire, il faut
qu'existe cette liberté, non pas à la fin de l'enquête, mais
dès le premier pas. Faute d'être libre on ne peut explorer,
examiner, sonder. Pour qu'il y ait pénétration profonde,
il faut qu'il y ait non seulement liberté mais encore la
discipline nécessaire à toute observation ; la liberté et la
discipline vont de pair (mais il ne faut pas se discipliner
dans le but d'être libre). Nous prenons ce mot « discipline » non pas dans son sens traditionnel et courant,
autrement dit se conformer, imiter, supprimer, suivre un
modèle établi. Nous entendons plutôt indiquer par là le
sens du radical *discere* que l'on trouve dans le mot
« apprendre ». Apprendre et être libre vont de pair, la
liberté entraînant sa propre discipline, une discipline qui
n'est pas imposée par l'esprit dans le but d'obtenir un
certain résultat. Voilà deux choses qui sont essentielles :
la liberté et l'action d'apprendre. On ne peut pas apprendre à se connaître à moins d'être sans entraves, cette
liberté nous permettant d'observer, non pas conformé-

10

ment à un modèle, à une formule ou à un concept, mais d'observer en toute réalité, tel que l'on est. Une telle observation, une telle perception, une telle vision entraînent leur propre discipline, leur propre façon d'apprendre ; il ne s'y trouve aucun conformisme, aucune imitation, aucune suppression, aucun contrôle d'aucune sorte. En cela réside une grande beauté.

Nos esprits sont conditionnés — fait évident — conditionnés par une certaine culture, une certaine société, influencés par des impressions diverses, des tensions, des tirages dans nos rapports, par des facteurs économiques, éducatifs ou encore par le climat, le conformisme religieux et ainsi de suite. Nos esprits sont dressés à admettre la peur, nous en évadant si nous le pouvons, n'étant jamais capables de pénétrer et de résorber d'une façon entière et complète la structure et la nature même de la peur. Notre première question est, par conséquent : l'esprit, si lourdement chargé, est-il capable de résoudre complètement, non seulement son propre conditionnement, mais encore sa propre peur ? Parce que c'est la peur qui nous pousse à accepter notre conditionnement.

Ne vous contentez pas d'emmagasiner une accumulation de paroles et d'idées — lesquelles sont en réalité sans aucune valeur — mais par l'acte même d'écouter, d'observer les divers états de votre esprit, à la fois verbalement et non verbalement, demandez-vous tout simplement si l'esprit peut jamais être affranchi de la peur — ne l'acceptant pas, ne la fuyant pas, ne se disant pas :

11

« Il faut que je développe en moi une résistance, le courage », mais en prenant réellement conscience de cette peur qui nous entrave. A moins d'en être libéré on est incapable de voir clairement, profondément; et de toute évidence, là où il y a peur il n'y a pas d'amour.

Donc, l'esprit peut-il jamais être réellement dégagé de toute peur? Il me semble que c'est là, pour toute personne d'esprit sérieux, une des questions primordiales et essentielles qui doit être posée et qui doit être résolue.

Il y a des peurs physiques et des peurs psychologiques: la peur de la souffrance physique et son aspect psychologique, le souvenir d'avoir éprouvé une telle souffrance dans le passé avec, en plus, la crainte de la voir se reproduire dans l'avenir; et puis encore, la peur de la vieillesse, de la mort, de l'insécurité physique, du lendemain incertain, la peur d'être un raté, de ne jamais aboutir, de ne pas devenir « quelqu'un » dans ce monde plutôt lamentable; peur de destruction, de solitude, de ne pas pouvoir aimer, de n'être pas aimé et ainsi de suite; les peurs conscientes aussi bien que celles qui sont inconscientes. L'esprit peut-il être totalement affranchi de tout ce fardeau? Il affirme dès le départ en être incapable, il se fausse lui-même, se rendant inapte à toute perception, à toute compréhension; incapable d'être complètement silencieux, apaisé. Il ressemble à une âme perdue dans la nuit, recherchant la lumière, ne la trouvant jamais, et réduite à inventer une « lumière » toute de paroles, de concepts, de théories.

12

Comment un esprit si lourdement entravé par la peur, avec tout le conditionnement qui s'ensuit, comment peut-il jamais s'en affranchir? Devons-nous l'accepter comme une des composantes inévitables de l'existence? — et c'est bien ce qui se passe pour la plupart d'entre nous : nous nous y résignons. Alors que devons-nous faire? Comment moi, l'être humain, vous, l'être humain, allez-vous vous débarrasser de cette peur? — non pas d'une peur particulière, mais de la peur totale, de sa structure, de sa nature même.

Qu'est-ce que la peur? (Si vous me permettez de le dire, n'acceptez pas ce qu'affirme l'orateur, il n'est investi d'aucune autorité d'aucune espèce, il n'est pas un instructeur, il n'est pas un gourou; parce que si, lui, est un instructeur, vous êtes un disciple, et si vous êtes un disciple vous vous détruisez vous-même ainsi que lui.)

Nous cherchons à découvrir la vérité de cette question de la peur avec une telle rigueur que jamais plus l'esprit ne la subira et qu'il sera par conséquent quitte, désormais, de toute dépendance d'autrui, intérieure ou psychologique. La beauté de la liberté c'est que vous ne laissez aucune trace derrière vous. L'aigle dans son vol ne laisse aucune trace — à l'encontre du savant. En examinant cette question de la liberté, il faut qu'existe non seulement une observation scientifique rigoureuse, mais encore ce vol de l'aigle qui ne laisse aucune trace derrière lui; il faut les deux choses; il faut l'explication verbale et la perception non verbale — car jamais la description ne

13

peut être la réalité décrite ; très évidemment, l'explication n'est jamais la chose que l'on explique ; jamais le mot n'est la chose.

Si tout ceci est limpide nous pouvons avancer ; nous pouvons découvrir par et pour nous-mêmes — et non pas grâce à l'orateur, aux paroles qu'il prononce, aux idées, aux pensées qu'il émet — si l'esprit peut jamais être complètement libéré de la peur.

La première partie de tout ceci n'est qu'une introduction verbale ; si vous ne l'avez pas entendue clairement et si vous ne l'avez pas comprise, vous ne pouvez pas aller plus loin.

Pour examiner il faut qu'il y ait liberté dans notre vision ; absence de tout préjugé, de toute conclusion, de tout concept, de tout idéal, de toute idée préconçue, ce qui vous permet dès lors d'observer réellement par vous-même ce que c'est que la peur. *Quand vous observez de très près, au cœur des choses, la peur existe-t-elle ?* Autrement dit : vous ne pouvez observer ce que c'est que la peur de très très près et dans la profondeur des choses, que quand l'« observateur » est la « chose observée ». *contact* ...

Nous allons nous étendre sur ce point. Donc, qu'est-ce que la peur ? Comment prend-elle naissance ? Les appréhensions physiques peuvent être saisies, tout comme les dangers physiques qui donnent lieu à des réactions instantanées — et assez faciles à comprendre — point n'est besoin d'approfondir cette question. Mais nous parlons de peurs psychologiques ; comment surgissent-elles ?

Quelles sont leurs origines? Voilà le problème. Il y a la peur d'un incident qui a eu lieu hier; qui pourrait se reproduire aujourd'hui ou demain. Il y a la peur de ce que nous avons connu et la peur de l'inconnu, du lendemain. On peut voir par soi-même et très clairement que la peur est implicite dans la structure même de la pensée — quand on réfléchit à ce qui s'est passé hier et dont on a peur, ou en pensant à l'avenir — d'accord? La pensée donne naissance à la crainte, n'est-il pas vrai? S'il vous plaît, il faut que nous en soyons tout à fait assurés; n'acceptez pas ce que dit l'orateur, soyez absolument certains en vous-mêmes, certains de ceci : que la pensée donne naissance à la peur. En réfléchissant à la souffrance, à la souffrance psychologique que l'on a éprouvée jadis et ne désirant pas la voir se répéter, ne désirant pas revoir surgir cette chose, pensant à tout cela, on voit naître la crainte. Pouvons-nous continuer? Parce que faute de voir ce point très clairement nous ne pourrons pas aller plus avant. La pensée, dans l'appréhension ou d'un incident, d'une expérience, d'un état qui s'est accompagné de danger, de trouble, de souffrance ou de douleur, la pensée donne naissance à la peur. Elle s'est assuré une certaine sécurité psychologique et se refuse à tout ce qui peut menacer cette sécurité, et ainsi tout élément de trouble est un danger et engendre par conséquent un état de peur.

La peur est imputable à la pensée; il en est de même pour le plaisir. On a passé par une expérience agréable, la pensée s'y attarde et voudrait la voir se prolonger;

15

quand ceci s'avère impossible il y a une résistance, un état de colère, de désespoir, d'affolement. Ainsi la pensée est responsable de la peur comme du plaisir, n'est-ce pas? Ce n'est pas ici une conclusion verbale ni une formule permettant d'éviter la peur. Répétons-le, là où il y a plaisir il y a souffrance, il y a la peur nourrie par la pensée; le plaisir accompagne la souffrance, ce sont deux choses indivisibles, et la pensée est responsable des deux. S'il n'y avait pas de lendemain, d'instant d'après, à quoi on pourrait penser, s'agissant de peur ou de plaisir, ni l'un ni l'autre n'existeraient. Pouvons-nous aller plus loin? En tout ceci nous travaillons dans la pâte du réel, ce n'est pas une idée, mais une chose que vous avez découverte et qui est par conséquent vraie, réelle, et vous avez le droit de dire: « J'ai découvert que la pensée donne naissance à la fois au plaisir et à la peur. » Vous avez éprouvé un plaisir sexuel, une jouissance; plus tard vous y pensez, évoquant des tableaux, l'imagerie du mental, et cette pensée même va renforcer ce plaisir qui, dès lors, fait partie du scénario de la pensée, et quand il se heurte à un obstacle il y a souffrance, anxiété, peur, jalousie, irritation, colère et brutalité. (Nous ne disons pas que vous ne devez pas connaître le plaisir.)

La félicité n'est pas le plaisir; l'extase n'est pas une sécrétion de la pensée; c'est une chose entièrement autre. Vous ne pouvez rencontrer la félicité ou l'extase qu'après avoir compris la nature de la pensée — elle qui donne naissance à la fois au plaisir et à la peur.

16

Alors se pose la question : peut-on mettre fin à la pensée ? Si celle-ci donne naissance à la peur et au plaisir — parce que là où il y a plaisir il y a forcément souffrance, chose évidente — on se demande alors : la pensée peut-elle prendre fin ? Ce qui n'implique pas la fin de toute perception de beauté, de toute jouissance émanant de la beauté. On contemple la splendeur d'un nuage, d'un arbre ; on en jouit totalement, complètement ; mais quand la pensée aspire à passer par la même expérience le lendemain, à connaître à nouveau les délices qu'elle éprouva à la vision de ce nuage, de cet arbre, de cette fleur, d'un visage qu'éclaire la beauté, alors elle sollicite la déception, la souffrance, la peur, en même temps que le plaisir.

Donc, la pensée peut-elle prendre fin ? Ou bien est-ce là une question totalement fausse ? C'est une question fausse parce que nous aspirons, comme on aspire au plaisir, à ressentir une extase, une félicité qui ne sont pas du domaine du plaisir. En mettant fin à la pensée nous espérons découvrir quelque chose d'immense, qui ne soit né ni du plaisir ni de la peur. On se demande : quel est le rôle de la pensée dans notre vie ? — et non pas comment mettre fin à la pensée ? Mais quels sont les rapports existant entre la pensée et l'action - inaction ? Quels rapports entre la pensée et l'action là où l'action est nécessaire ? Et pourquoi là où il y a une jouissance complète de la beauté verrait-on la pensée jouer un rôle quelconque ? En effet, si elle n'en jouait aucun il n'y aurait pour cette jouissance, aucun lendemain. Je me propose de découvrir ceci : quand il y a une jouissance complète de la beauté, d'une montagne, d'un visage, d'une nappe d'eau — pourquoi la pensée doit-elle intervenir pour lui donner un tour d'écrou supplémentaire et tout fausser en disant : « Il me faut éprouver de nouveau ce plaisir demain. » J'ai à découvrir les rapports existant entre la pensée et l'action, à découvrir si la pensée doit nécessairement intervenir là où n'existe aucun besoin d'elle. J'aperçois un bel arbre dénudé de son feuillage, se détachant sur le ciel, il est extraordinairement beau et cela suffit — c'est fini. Et pourquoi la pensée intervient-elle pour dire : « Il faut que j'éprouve ce même plaisir demain »? Mais je vois aussi que la pensée doit agir là où il y a action. L'habileté, le savoir-faire dans l'action est aussi habileté et savoir-faire dans la pensée. Quel est donc le rapport réel entre la pensée et l'action? Comme sont les choses, actuellement, nos actions sont toujours basées sur des concepts, des idées. J'ai une idée, un concept de ce qui devrait être fait et ce que je fais est, dès lors, une approximation tendant à me rapprocher de ce concept, de cette idée, de cet idéal. Il y a donc une division entre l'action et le concept, l'idéal, le « ce qui devrait être »; et dans cette division prévaut un état de conflit. Toute division, toute division psychologique engendre forcément le conflit. Et je me demande : « Quel est le rapport entre la pensée et l'action? » Dès l'instant où il existe une division entre l'action et l'idée, l'action

18

est incomplète. Existe-t-il une action dans laquelle la pensée aperçoit quelque chose instantanément, agit instantanément de sorte que n'interviennent aucune idée, aucune idéologie donnant naissance à une action séparée? Existe-t-il une action où la perception même est action — où la pensée même est action? Je vois par exemple que la pensée donne naissance au plaisir et à la peur; je vois que là où il y a plaisir il y a souffrance et par conséquent résistance à la souffrance. Cela je le vois très clairement; et ici la vision même est une action immédiate; en voyant cela il y a pensée logique, pensée très claire; et pourtant cette vision est instantanée et l'action est instantanée — et par conséquent on est libéré.

Sommes-nous en communication les uns avec les autres? Avançons lentement, parce que tout ceci est assez difficile. Je vous en prie, ne dites pas « oui » avec tant de facilité. Si vous êtes en droit de dire « oui », alors quand vous quitterez cette salle, vous devrez être libérés de la peur. Votre façon de dire « oui » est une pure et simple affirmation d'avoir compris verbalement, intellectuellement — c'est-à-dire rien qui vaille. Vous et moi-même ici ce matin examinons la question de la peur et quand vous quitterez cette salle vous devrez en être complètement affranchis. Signifiant que vous êtes dès lors un être humain libre, un être humain différent, complètement transformé, et ceci n'est pas pour demain, c'est pour tout de suite. Donc, vous voyez très clairement que la pensée engendre ces deux choses, vous voyez que toutes

19

nos valeurs sont basées sur la peur et le plaisir — morales, éthiques, sociales et spirituelles. Si vous percevez la vérité de tout ceci — et pour en voir la vérité il vous faut être extrêmement lucide, en éveil, logiquement, sainement, observant chaque frémissement de la pensée — alors cette perception même est une action totale et par conséquent quand vous quitterez cette salle vous en serez complètement sorti ; autrement vous allez dire : « Comment vais-je m'affranchir de la peur demain ? »

Dans l'action la pensée doit agir. Vous devez penser pour rentrer chez vous, pour prendre un autobus, un train, pour aller au bureau ; dans ces instants la pensée agit avec efficacité, objectivement et non pas d'un point de vue personnel ou émotif, et cette pensée est une chose vitale. Mais quand elle prolonge une expérience que vous avez connue, la reportant par l'action de la mémoire dans l'avenir, alors une telle action est incomplète, produisant certaines formes de résistance et ainsi de suite.

Abordons dès lors la question suivante. Exprimons-la comme ceci : quelle est l'origine de la pensée, qui est le penseur ? On peut voir que la pensée est une réaction issue de notre savoir, de notre expérience, de notre mémoire accumulée, de l'arrière-plan à partir duquel il y a une réponse de la pensée à toute provocation extérieure ; si on vous demande où vous vivez il y a une réaction immédiate. La mémoire, l'expérience, le savoir sont l'arrière-plan d'où surgit la pensée. Et par conséquent celle-ci n'est jamais une chose neuve ; elle appartient

20

toujours à l'ancien, au déjà vu ; jamais elle ne peut être libre parce qu'elle est liée au passé et qu'elle est par conséquent incapable de voir quoi que ce soit de façon neuve. Et dès l'instant où je comprends ceci très clairement le mental s'apaise. La vie est un mouvement, un mouvement constant dans l'univers des interrelations ; et la pensée qui s'efforce toujours de capturer ce mouvement en fonction du passé, de la mémoire, du stable, du figé, la pensée a peur de la vie.

A la vision de tout ceci, voyant que la liberté est nécessaire à tout examen — que pour examiner clairement il faut qu'existe une discipline due à notre aperception et non pas à un état de censure et d'imitation — voyant comment l'esprit est conditionné par la société, par le passé, que toute pensée naissant du cerveau est vieille et par conséquent incapable de comprendre quoi que ce soit de neuf, l'esprit alors devient calme, complètement calme, non pas par contrainte, non pas poussé au calme. Il n'existe aucun système, aucune méthode — qu'il s'agisse du Zen japonais ou d'un système hindou — il n'en existe aucun pour apaiser l'esprit ; c'est une entreprise vaine et stupide de l'esprit que de se discipliner au calme. Donc, voyant tout cela — le voyant vraiment et non pas théoriquement — il surgit alors une action qui jaillit de cette perception ; la perception même est l'action libérant de la peur. Donc, à chaque occasion où surgit la peur, il y en a une perception immédiate et la peur prend fin.

21

Qu'est-ce que l'amour? Pour la plupart d'entre nous, l'amour signifie plaisir et par conséquent peur; c'est cela que nous appelons l'amour. Mais quand sont compris la peur et le plaisir, alors que devient l'amour et « qui » va répondre à cette question? L'orateur, un prêtre, un livre? Existe-t-il un agent de l'extérieur pour nous féliciter de ce que nous agissons extraordinairement bien et dire qu'il nous faut continuer? Ou n'est-ce pas plutôt qu'ayant examiné, observé, perçu hors de tout esprit d'analyse toute la structure, la nature du plaisir, de la peur et de la souffrance, nous nous apercevons que l'« observateur », le « penseur », fait partie de la pensée même. *S'il n'y a pas de pensée il n'y a pas de penseur, les deux sont inséparables; le penseur est la pensée.* Il y a une certaine beauté, une certaine subtilité à le voir. Et, dès lors, qu'est-il advenu de cet esprit qui voulait aborder la question de la peur? — vous comprenez? Quel est maintenant l'état de cet esprit qui a passé par tout ceci? Est-il le même que tout à l'heure avant d'avoir parcouru ce chemin? Il a examiné tout ceci de très près, il a vu la nature de ce que nous appelons la pensée, la peur, le plaisir, tout cela il l'a vu; et maintenant quel est son état réel? De toute évidence personne ne peut répondre à cette question que vous-même; mais si véritablement vous l'avez vécu, vous vous apercevrez que l'esprit en est complètement transformé.

Question. — (incompréhensible).

Réponse. — C'est une des choses les plus faciles au monde que de poser une question. Il est probable que certains d'entre nous avons pensé à ce que serait notre question pendant que parlait l'orateur. Nous sommes plus préoccupés de poser notre question que d'écouter. Nous devons nous poser des questions non seulement ici mais partout. Mais poser une question juste a beaucoup plus d'importance que d'en recevoir la réponse. La solution d'un problème consiste à le comprendre ; la question n'est pas en dehors du problème, elle est dans le problème même que l'on ne peut voir très clairement si l'on est obsédé par la solution, la réponse. La plupart d'entre nous sommes tellement avides de résoudre le problème sans même le regarder — et pour l'approfondir il faut avoir de l'énergie, un certain élan, une intensité, une passion ; et non pas l'indolence et la paresse qui sont en nous pour la plupart — vous et moi voudrions voir résoudre le problème par quelqu'un d'autre. Or, personne ne va résoudre aucun de nos problèmes, politique, religieux ou psychologique. Mais il faut une grande intensité, une grande vitalité, de la passion pour le regarder, l'observer et alors, comme vous le verrez, la réponse est là, très claire.

Cela ne signifie pas que vous devez vous abstenir de poser des questions ; au contraire vous devez les poser ; vous devez mettre en doute tout ce qui a été dit par tout le monde, l'orateur compris.

Question. — N'y a-t-il pas un certain danger d'introspection à scruter des problèmes personnels?

Réponse. — Pourquoi n'y aurait-il pas de danger? Quand on traverse la rue il y a un danger. Entendez-vous suggérer que parce qu'il peut être dangereux de regarder nous ne devons pas regarder? Je me souviens qu'une fois un homme très riche — si vous me permettez de raconter cet incident — est venu nous voir et il dit: « Je suis très, très sérieux et préoccupé des questions que vous traitez et je voudrais résoudre tous mes... etc., etc. » Vous savez toutes les sottises que disent les gens. Je répondis: « Bon, monsieur, allons-y » et nous parlâmes. Il vint plusieurs fois et après la seconde semaine il revint me trouver et dit: «J'ai des rêves épouvantables, effrayants, il me semble que je vois tout ce qui m'entoure en train de disparaître, tout s'en va »; puis il ajouta: « Ceci est probablement le résultat de mon examen de moi-même et j'en vois les dangers »; et après cela il ne revint plus.

Nous avons tous le désir d'être en sécurité, d'être tranquilles dans notre petit monde mesquin, ce monde « d'un ordre bien établi », lequel est désordre, le monde de toutes nos relations particulières bien à nous et que nous ne voulons pas voir troublé — les rapports établis entre l'homme et la femme où ils se cramponnent l'un à l'autre — et où règnent la souffrance, la méfiance, la peur, où il y a danger, jalousie, colère, domination.

Il existe une manière de regarder en nous-mêmes sans qu'il y ait peur ou danger; c'est de regarder sans condamner, sans justifier d'aucune manière, simplement de regarder sans interpréter, sans juger, sans soupeser. Pour cela l'esprit doit être ardent dans son désir d'apprendre par son observation de ce qui est réel. Où est le danger de « ce qui est »? Les êtres humains sont violents. Cela c'est ce qui « existe réellement ». Et le danger qu'ils ont créé dans ce monde est le résultat de cette violence, il est le produit de la peur. Et pourquoi y aurait-il danger à observer la chose cherchant à détruire cette peur complètement, donnant ainsi naissance à une société et à des valeurs différentes? Il y a une grande beauté à observer, à voir les choses telles qu'elles sont psychologiquement et intérieurement; cela ne veut pas dire qu'on les accepte telles qu'elles sont; et cela ne veut pas dire non plus qu'on les rejette ou que l'on veuille faire quelque chose pour changer « ce qui est »; c'est la perception même de « ce qui est » qui entraîne sa propre mutation. Mais il faut connaître « l'art de regarder ». Cet art de regarder ne comporte jamais d'élément d'introspection ou d'analyse, il s'agit simplement d'observer sans aucun choix.

Question. — N'existe-t-il pas une peur spontanée?

Réponse. — Appelleriez-vous cela de la peur? Quand brûle un feu, quand vous vous trouvez devant un gouffre, est-ce la peur qui vous pousse à vous en écarter? Si vous voyez un animal sauvage, un serpent, est-ce la peur qui vous pousse à vous retirer ou est-ce l'intelligence? Cette intelligence peut être le résultat d'un conditionnement parce qu'on vous a mis en garde contre les dangers d'un précipice, autrement vous pourriez tomber et ce serait la fin. Votre intelligence vous dit de faire attention; cette intelligence est-elle peur? Mais est-ce l'intelligence qui agit quand nous nous divisons en nationalités, en groupes religieux — quand nous dressons cette division entre vous et moi, nous et eux, est-ce là de l'intelligence? Ce qui agit quand on établit de telles divisions et qui est cause de danger, qui sépare les gens, qui entraîne la guerre, est-ce là de l'intelligence ou n'est-ce pas de la peur? Dans ce cas c'est de la peur et non pas de l'intelligence. Autrement dit nous nous sommes morcelés; une partie de nous agit avec intelligence quand c'est nécessaire, par exemple en évitant un précipice ou un autobus qui passe; mais nous ne sommes pas assez intelligents pour voir les dangers du nationalisme, des facteurs qui divisent les gens. Donc une partie de nous-mêmes — très petite — est intelligente et le reste non. Là où il y a morcellement il y a forcément conflit et forcément souffrance; l'essence même du conflit c'est la division, la contradiction qui existe en nous. Cette contradiction ne doit pas être intégrée. C'est une de nos particularités de dire qu'il nous faut nous intégrer. Au fond, je ne sais pas ce que ce mot veut dire. Qui va intégrer les deux natures divisées et qui s'opposent? Celui auquel on fait appel pour intégrer ne fait-il pas lui-même partie de cette division? Mais quand on voit la chose dans sa totalité, quand on la perçoit, sans aucun choix — il n'y a pas de division.

26

Question. — Existe-t-il une différence entre la pensée correcte et l'action correcte?

Réponse. — Quand vous vous servez de ce mot « correct » s'agissant de pensée et d'action, alors cette action « correcte » est une action « incorrecte ». N'est-ce pas vrai? En vous servant de ce mot « correct » vous avez déjà, et d'avance, une *idée* de ce qui est correct. Quand vous avez une idée de ce qui est « correct », elle est « incorrecte » parce que le « correct » prend ses racines dans vos préjugés, votre conditionnement, votre peur, votre culture, votre société, toutes vos particularités personnelles, vos peurs, vos principes religieux et ainsi de suite. Il existe pour vous une norme, un modèle : et ce modèle lui-même est incorrect, il est immoral. La moralité sociale est immorale. Etes-vous d'accord? Si oui, vous avez rejeté la moralité sociale, c'est-à-dire l'envie, l'avidité, l'ambition, le nationalisme, le respect de classe et ainsi de suite. L'avez-vous fait quand vous dites oui? Mais la moralité de la société est immorale — parlez-vous sérieusement quand vous le dites? — ou n'est-ce en vous qu'une suite de paroles? Monsieur, être véritablement moral et vertueux, est une des choses les plus extraordinaires de la vie; et cette moralité n'a absolument aucun rapport avec le comportement social courant. Pour être vraiment vertueux, il nous faut être libres et vous n'êtes pas libre si vous suivez la moralité sociale dictée par l'envie, l'avidité, la concurrence et l'adoration du succès. Vous savez, toutes ces choses prônées par l'Eglise et par la société dans le but d'être moral.

27

Question. — Devons-nous attendre que tout ceci arrive ou bien existe-t-il une discipline que nous puissions observer?

Réponse. — Nous faut-il une discipline pour nous rendre compte que la vision même est action? Le faut-il?

Question. — Voulez-vous nous parler de l'esprit silencieux — résulte-t-il de la discipline ou non?

Réponse. — Voyez, monsieur: un soldat est sur le terrain de manœuvre, le dos droit, tenant son fusil avec la plus stricte exactitude; il est dressé jour après jour, jour après jour; pour lui plus de liberté. Il est immobile, muet, est-ce là silence, immobilité? Ou bien quand un enfant est absorbé par un jouet, est-ce là silence? Enlevez le jouet et l'enfant redevient ce qu'il est vraiment. Donc la discipline (je vous supplie, comprenez ceci une fois pour toutes, c'est tellement simple) — est-ce la discipline qui donne naissance au silence? Elle peut donner naissance à un état d'abrutissement, de stagnation; mais donne-t-elle naissance à ce silence qui comporte une intense activité dans le silence?

Question. — Monsieur, que voulez-vous que nous fassions nous autres qui vivons dans ce monde?

Réponse. — C'est très simple, monsieur, je ne veux rien, voilà le premier point. Le second le voici: vivez, vivez dans ce monde. La beauté de ce monde est si merveilleuse, c'est notre monde, notre terre sur laquelle nous existons, mais nous n'y vivons pas, nous sommes étroits, séparés les uns des autres, anxieux, apeurés et par conséquent nous ne vivons pas, nous sommes sans relation avec autrui, nous sommes des êtres humains isolés, désespérés. Nous ne savons pas ce que cela signifie que de vivre dans cette atmosphère d'extase et de félicité. Je dis que l'on ne peut vivre ainsi que quand on sait comment se libérer de toutes les absurdités et les sottises de notre vie. En être libéré n'est possible qu'en prenant conscience de nos rapports non seulement avec des êtres humains, mais avec les idées, la nature, avec tout ce qui nous entoure. C'est grâce à ces rapports que nous pouvons comprendre ce que nous sommes, ce que sont nos peurs, nos anxiétés, notre désespoir, notre solitude, notre total manque d'amour. Nous sommes bourrés de théories, de mots, de citations venant d'autrui. De soi-même on ne sait rien, et par conséquent on ne sait pas comment vivre.

Question. — Comment expliquez-vous les différents niveaux de conscience en fonction du cerveau humain. Le cerveau paraît être une chose physique, et l'esprit ne paraît pas être une chose physique. De plus, l'esprit semble avoir un élément conscient et un élément inconscient. Comment pouvons-nous voir avec clarté étant, comme nous le sommes, le jouet de tant d'idées différentes?

Réponse. — Quelle est la différence entre l'esprit et le cerveau; c'est bien cela, monsieur? Le cerveau physique qui est le résultat du passé, de l'évolution, de la suite de jours innombrables, avec tous ses souvenirs et son savoir et ses expériences, ce cerveau ne fait-il pas partie de l'ensemble du mental? — ce mental où il y a un niveau conscient et un niveau inconscient. Le physique tout comme le non-physique, le psychologique, tout cela ne fait-il pas partie d'un tout? — Et n'avons-nous pas nous-mêmes établi ces divisions: conscient et inconscient, cerveau et non-cerveau? Ne pouvons-nous pas regarder le tout comme un ensemble non fragmenté?

L'inconscient est-il tellement différent du conscient, ou plutôt ne fait-il pas partie d'une totalité où nous avons introduit des divisions? Et de là naît cette question: comment l'esprit conscient peut-il prendre conscience de l'inconscient? Le positif, autrement dit ce qui fonctionne — cette chose qui fonctionne toute la journée — est-il capable d'observer l'inconscient?

Je ne sais pas si nous avons le temps d'approfondir cette question, n'êtes-vous pas fatigués? S'il vous plaît, messieurs, ne faites pas de tout ceci une distraction comme cela arrive quand on est assis dans une chambre agréablement tiède, en écoutant une voix qui parle. Il s'agit de choses très importantes et si vous avez travaillé comme vous avez dû le faire, vous devez être fatigués. Le cerveau ne peut pas observer plus d'une certaine quantité de choses et pour approfondir cette question de l'inconscient et du conscient il faut que l'esprit soit aigu et clair. Et je doute beaucoup qu'après une causerie d'une heure et demie vous en soyez capables. Donc, ne pouvons-nous pas, si vous êtes d'accord, remettre cette question à jeudi soir?

Chapitre II

FRAGMENTATION

Division; le conscient et l'inconscient; mourir au « connu »
(Londres, 20 mars 1969)

Nous devions ce soir discuter du conscient et de l'inconscient, de l'esprit superficiel et des couches plus profondes de la psyché. Je me demande pourquoi nous divisons la vie en fragments : vie des affaires, vie sociale, vie de famille, vie religieuse, vie sportive et ainsi de suite? Pourquoi ce morcellement existe-t-il, non seulement en nous-mêmes mais encore dans la vie sociale — nous et eux, vous et moi, amour et haine, mourir et vivre? Il me semble que cette question mérite d'être approfondie et qu'il convient de pousser notre enquête assez avant pour découvrir s'il n'existerait pas une manière de vivre où ne règnerait aucune division du tout, entre vivre et mourir, le conscient et l'inconscient, la vie d'affaires, la vie sociale, la vie de famille, la vie individuelle.

Ces divisions donnent naissance aux nationalités, aux religions, aux classes, tout ce morcellement qui règne en moi-même et qui entraîne tant de contradictions —

pourquoi vivre ainsi? Ces causes de tant de troubles, de conflits, de guerres; tout cela est cause d'une véritable insécurité extérieure comme intérieure. Il y a une telle fragmentation, Dieu et le diable, le bien et le mal, « ce qui est » et « ce qui devrait être ».

Je crois qu'il vaudrait la peine de consacrer notre temps ce soir à découvrir s'il existe une façon de vivre — non pas théoriquement ou intellectuellement, mais véritablement — une façon de vivre où il n'y aurait aucune division du tout; où l'action ne serait pas partielle, elle ferait partie d'une coulée unique et constante, et chacune serait reliée à toutes les autres.

Pour découvrir un tel mode de vie, dépourvu de toute fragmentation, il faut examiner très profondément la question de l'amour et de la mort. Par une juste compréhension de ces deux choses, nous pourrons peut-être connaître une vie hautement intelligente qui soit un mouvement continu et sans brisure. Un esprit morcelé manque d'intelligence; il est évident qu'un homme qui vit sur une demi-douzaine de plans — ce qui passe pour être hautement moral — il est évident qu'un tel homme fait preuve de manque d'intelligence.

Il me semble aussi que la notion d'intégration — qui consiste à agglomérer les différents fragments dans le but d'en faire un tout — n'est évidemment pas intelligente, car elle implique l'existence de celui qui procède à cette intégration, qui se charge d'intégrer, de rattacher ensemble tous les fragments; mais cette entité, celle qui

32

s'efforce d'obtenir un tel résultat n'est elle-même que le fragment d'un fragment.

Ce qui est nécessaire, c'est qu'il y ait une intelligence, une passion telles, qu'il s'ensuive une révolution radicale de notre existence, telles qu'il n'y ait plus en nous d'activités contradictoires mais un seul mouvement uni et continu. Pour que se produise un tel changement dans notre vie, il faut qu'il y ait passion. Si nous devons faire quoi que ce soit qui en vaille la peine, une passion intense doit exister — elle est tout autre chose que le plaisir, et elle doit exister si nous voulons comprendre cette action qui ne connaît ni contradiction ni morcellement, il faut qu'elle existe. Des formules, des concepts intellectuels ne vont pas modifier notre façon de vivre, mais seulement la compréhension profonde de « ce qui est » ; et pour cela il faut un élan et une intensité.

Pour découvrir s'il existe une façon de vivre, d'une vie normale et non monastique — une façon de vivre toute de passion et d'intelligence — il nous faut comprendre la nature du plaisir. Nous avons étudié l'autre jour cette question du plaisir, nous avons vu comment la pensée encourage une expérience qui nous a procuré un instant de délice, et comment ce plaisir est entretenu quand elle s'y attarde ; or, là où il y a plaisir il y a forcément souffrance et peur. L'amour est-il plaisir ? Celui-ci est la base des valeurs morales chez la plupart d'entre nous ; même le fait de se sacrifier, de se dominer afin d'obtenir un certain conformisme, ces actions sont accomplies sous la poussée du plaisir — un plaisir sans doute plus grand, plus noble, plus « élevé ». L'amour est-il plaisir ? Encore une fois ce mot amour est tellement chargé, ressassé par tout le monde, par le politicien, par le mari ou la femme. Or, il me paraît que seul l'amour dans le sens le plus profond du mot peut donner naissance à cette manière de vivre complètement dépourvue de fragmentation. Il y a toujours un élément de peur dans le plaisir ; et très évidemment là où il existe des relations empreintes de peur il y a forcément fragmentation, il y a forcément division.

Elle est véritablement profonde cette enquête nous permettant de voir pourquoi l'esprit humain s'est toujours divisé dans son opposition à autrui, conduisant ainsi au résultat final de la violence et des choses que l'on espère obtenir au moyen de la violence. Nous autres êtres humains sommes engagés dans un engrenage de vie qui conduit à la guerre et pourtant nous aspirons en même temps à la paix, à la liberté ; mais cette paix n'est qu'une idée, une idéologie ; et au même moment nous nous laissons conditionner par tout ce que nous faisons.

Il existe encore une division psychologique, celle du temps ; le temps considéré en tant que passé (hier, aujourd'hui et demain) ; et cela aussi il nous faudra l'examiner si nous voulons accéder à une vie sans division. Il faut nous demander si c'est le temps sous son aspect de passé, présent et avenir — le temps psychologique — qui est la cause de cette division. Celle-ci est-elle propre au connu, à la mémoire, qui est le passé, qui est le contenu du cerveau lui-même? Ou bien la division prend-elle naissance parce que l'« observateur », l'« expérimentateur », le « penseur » est toujours séparé de l'objet qu'il observe, de l'expérience par laquelle il passe? Ou bien encore est-ce l'activité égoïste, autocentrique, celle qui engendre le « moi » et le « vous », qui crée sa propre résistance, ses propres activités isolées, est-ce elle qui est cause de ce morcellement? Nous devons avoir toutes ces questions dans l'esprit en procédant à notre enquête : le temps; l'« observateur » qui s'isole de la chose qu'il observe; l'expérimentateur qui se distingue de l'expérience; le plaisir; et considérer si tout ceci a un rapport quelconque avec l'amour.

Psychologiquement peut-on dire qu'il existe le « demain », s'il existe vraiment ou s'il n'est pas une fiction de la pensée? Il existe un lendemain dans le temps chronologique, mais existe-t-il véritablement psychologiquement et intérieurement? S'il existe en tant qu'idée, alors notre action n'est pas complète, et cette action entraîne division et contradiction. Cette notion du lendemain, du futur est — n'est-il pas vrai — cause que nous ne voyons pas les choses très clairement, telles qu'elles sont à l'instant même — « j'espère les voir plus clairement demain ». On est paresseux; on n'a pas cette passion, cet intérêt brûlant de vouloir découvrir tout de suite. Et la pensée invente cette idée de parvenir « éventuellement », de comprendre « plus tard »; pour justifier une telle attitude intérieure le temps est nécessaire, beaucoup de

35

journées sont nécessaires. Mais le temps nous conduit-il à la compréhension? Nous permet-il de voir quoi que ce soit très clairement?

Est-il possible pour l'esprit d'être libéré du passé afin de n'être plus lié par les entraves du temps? Psychologiquement le lendemain se présente en fonction du connu; existe-t-il donc une possibilité d'être libéré du connu? Y a-t-il possibilité d'une action qui ne soit pas fonction du connu?

Une des choses les plus difficiles pour nous est de communiquer entre nous. Il y a forcément une communication verbale, mais je crois qu'il existe un niveau beaucoup plus profond où il ne s'agit pas d'une simple communication verbale, mais d'une communion où tous deux nous devons nous rencontrer au même niveau, avec la même intensité, avec la même passion; alors seulement peut-on parler de communion, une chose beaucoup plus importante qu'une simple entente verbale. Et comme nous traitons d'une chose assez compliquée, qui est en contact intime et profond avec notre vie quotidienne, il faut qu'il y ait non seulement communication verbale mais encore communion. Le sujet qui nous intéresse est cette révolution psychologique totale; elle n'est pas pour un avenir lointain, elle est pour aujourd'hui, pour tout de suite, maintenant. Nous désirons savoir si l'esprit humain, soumis à un conditionnement si pesant, est capable de se transformer immédiatement, de sorte que ses actions soient un tout continu, sans brisure, qui ne porte pas les cicatrices de ses regrets, de ses désespoirs, de ses souffrances, de ses peurs, de ses angoisses, de sa culpabilité et ainsi de suite. Comment l'esprit humain peut-il rejeter tout cela et se trouver dans un état de jouvence, de fraîcheur, d'innocence complète? Telle est la vraie question. Je ne crois pas que soit possible cette révolution radicale tant qu'existe une division entre l'« observateur » et l'objet de son observation, entre le sujet et l'objet de l'expérience. C'est cette division qui fait le conflit. Toute division entraîne forcément un conflit et il ne peut évidemment pas se produire un changement psychologique profond là où règne un état de conflit, de lutte, de combat (bien qu'il puisse évidemment se produire certaines modifications superficielles).

Donc, comment l'esprit, le cœur et le cerveau, cet état global, comment peut-il aborder ce problème de la division?

Nous nous sommes proposé d'approfondir cette question du conscient et des couches plus profondes, l'inconscient: et nous nous demandons pourquoi existe cette division, celle qui sépare l'esprit conscient centré sur ses propres activités, ses soucis, ses problèmes, ses plaisirs superficiels, son gain quotidien et ainsi de suite, des couches les plus profondes de ce même esprit avec ses motivations, ses élans, ses pulsions, ses craintes cachées. Pourquoi ce clivage? Est-ce parce que nous sommes tellement pris superficiellement par nos éternels bavardages, nos exigences de surface, notre désir de divertissement, d'amusements religieux et autres? Parce que l'esprit superficiel ne peut absolument pas creuser, pénétrer profondément en lui-même tant que surgissent de telles divisions.

Quel est le contenu des couches profondes de l'esprit? — non pas selon les psychologues, Freud et ainsi de suite — comment allez-vous tenter de le découvrir, n'ayant pas recours aux lectures, œuvres d'autrui? Comment allez-vous révéler ce qu'est votre inconscient? Vous l'observerez, n'est-ce pas! Ou bien allez-vous attendre de vos rêves qu'ils vous en interprètent tout le contenu? Et qui va traduire ces rêves? Les experts? — eux aussi sont conditionnés selon leur spécialisation. Et alors on en vient à se demander: est-il possible de ne pas rêver du tout? Sauf, évidemment, quand il s'agit de cauchemars engendrés par une mauvaise alimentation ou des repas trop copieux.

Il existe — nous nous servirons de ce mot pour le moment — un inconscient. De quoi est-il fait? Du passé évidemment; la conscience raciale, le résidu racial, les traditions familiales, les différents conditionnements religieux et sociaux — tout cela caché, obscur, voilé; peut-on s'attendre à ce que ce soit découvert et dévoilé sans qu'il y ait rêve? — sans aller trouver un psychanalyste? — de façon que l'esprit, quand vraiment il dort, soit calme, apaisé et non pas constamment agité. Et, du fait de ce calme, ne peut-il pas être imprégné d'une qualité entièrement différente, d'une activité tout autre, complètement dissociée d'avec les anxiétés, les craintes, les tourments, les appréhensions, les exigences quotidiennes? Pour le découvrir — si c'est possible — autrement dit pour ne pas rêver du tout, et permettre à l'esprit d'être véritablement renouvelé au réveil le matin, il nous faut prendre conscience dans le courant de la journée de toutes les suggestions, de tous les signaux que nous adresse la vie. Ceux-ci ne peuvent être saisis qu'au fil de nos rapports quotidiens ; si vous observez la nature de ces rapports avec les autres, sans rien condamner, sans rien censurer, sans rien soupeser ; quand vous observez simplement comment vous vous comportez, quelles sont vos réactions ; quand vous constatez tout cela sans aucun penchant personnel ; simplement en observant de façon à ce qu'au cours de la journée tout ce qui est inconscient et caché soit exposé à la lumière.

Pourquoi attribuons-nous une signification si profonde à l'inconscient? Après tout, sa nature est aussi triviale que celle du conscient. Si l'esprit conscient est extraordinairement actif, s'il observe, s'il écoute, s'il voit, alors il prend beaucoup plus d'importance que l'inconscient ; dans l'état dont je parle tous les contenus de l'inconscient sont exposés et la division qui sépare les différentes couches franchie. Vous observez vos réactions quand vous êtes assis dans l'autobus, quand vous parlez à votre femme, à votre mari, quand vous êtes dans votre bureau, que vous écrivez, que vous êtes seul, si toutefois vous êtes jamais seul — alors toute cette observation, cette façon de voir exempte de toute division entre l'observateur et la chose observée, voilà qui met fin à la contradiction.

Maintenant, si tout ceci est plus ou moins éclairci, nous pouvons nous demander : « Qu'est-ce que l'amour ? L'amour est-il plaisir ? Jalousie ? Est-il possessif ? Aime-t-il dominer ? — Le mari cherche-t-il à établir une domination ? Le mari sur sa femme et la femme sur son mari. Très certainement rien de tout cela n'est amour ; et cependant nous en portons le poids, nous disons à notre mari ou à notre femme ou à tout autre : « Je vous aime. » Or, la plupart d'entre nous sommes, d'une façon ou d'une autre, envieux ; l'envie naît de la comparaison, des évaluations, du désir d'être autre chose que ce que l'on est. Sommes-nous capables de voir l'envie pour ce qu'elle est vraiment, d'en être complètement affranchis au point que jamais plus elle ne puisse nous atteindre ? — Autrement l'amour ne peut pas exister. L'amour ignore le temps ; il ne peut être cultivé ; il n'est pas une émanation du plaisir.

Qu'est-ce que la mort ? Quels sont les rapports entre l'amour et la mort ?

Je crois que nous découvrirons ces rapports si nous comprenons la signification de la « mort » ; et si nous voulons la comprendre, il nous faut évidemment comprendre ce que c'est que de vivre. En fait, vivre, qu'est-ce pour nous ? — il s'agit de notre vie quotidienne et non pas d'une notion idéologique ou intellectuelle, où nous la voyons telle qu'elle devrait être selon nous, une notion qui est réellement fausse. Pour nous qu'est-ce que vivre ? — la vie quotidienne faite de conflits, de désespoir, de solitude, d'isolement. Elle est un champ de bataille quand nous dormons, quand nous sommes éveillés, et nous cherchons à nous en évader par différents procédés : la musique, l'art, les musées, les divertissements philosophiques ou religieux, une multitude de théories que nous dévidons interminablement, le savoir, piège auquel nous nous laissons prendre, tout, n'importe quoi, sauf de mettre fin à ce conflit, à cette lutte à laquelle nous donnons le nom de vie et qui traîne comme son ombre une souffrance constante.

Cette souffrance de notre vie quotidienne peut-elle prendre fin ? Si notre esprit ne change pas de façon radicale, la vie a bien peu de sens — elle consiste à aller tous les jours au bureau, à gagner son pain, à lire quelques livres, à énoncer parfois d'heureuses citations, à savoir toutes sortes de choses — une vie tout à fait vide, un véritable train-train bourgeois.

Prenant conscience de cet état de choses, on commence à élaborer une signification que l'on attribue à la vie ; on trouve un sens à lui donner ; on recherche des gens habiles, capables de nous proposer de telles significations, un but à la vie — et c'est une nouvelle façon de s'en évader. Cette existence doit subir une transformation radicale.

Et pourquoi sommes-nous effrayés par la mort comme le sont la plupart des gens ? Effrayés par quoi ? Observez, je vous en prie, vos propres appréhensions en ce qui concerne ce que nous appelons la mort. Nous avons peur de voir la fin de cette lutte à laquelle nous donnons le nom de « vivre ». Nous avons peur de ce qui pourrait arriver, peur de quitter les choses que nous avons connues; nous avons peur de l'inconnu, de renoncer aux choses familières, les livres, la famille, la maison et les meubles auxquels nous nous sommes attachés, les êtres qui nous entourent. Nous avons peur de lâcher ainsi tout ce qui nous est connu; et le connu c'est cette existence faite de souffrance, de douleur, de désespoir et coupée de courtes éclaircies de joie; il n'y a pas de fin à cette lutte constante; c'est ce que nous appelons vivre — perdre tout cela, voilà ce qui nous fait peur. Est-ce le « moi » — le résultat de toute cette accumulation — qui redoute de prendre fin? Il exige une espérance future, et par conséquent il faut qu'existe la réincarnation. Cette idée de réincarnation qui prévaut dans tout l'Orient, consiste à croire que vous renaîtrez, dans une vie future, sur un échelon un peu plus élevé que cette fois-ci. Dans cette vie vous avez lavé la vaisselle, dans la prochaine vous espérez être un prince, ou autre chose — et quelqu'un d'autre lavera la vaisselle pour vous. Pour ceux qui croient à la réincarnation, ce que vous êtes dans cette vie a la plus grande importance parce que ce que vous êtes maintenant, votre façon de vous comporter, les pensées et les activités qui sont les vôtres, votre vie prochaine dépend de tout cela, soit pour en être récompensé ou châtié. Mais tous ces gens n'attachent aucune espèce d'importance à la façon dont ils se conduisent; pour eux, la réincarnation est simplement une certaine croyance, tout comme la croyance à un paradis, à un Dieu, à n'importe quoi d'autre. Mais, en fait, ce qui importe réellement c'est ce que vous êtes maintenant, aujourd'hui, comment vous vous comportez dans l'immédiat, non seulement extérieurement mais intérieurement. L'Occident a aussi créé sa propre consolation en ce qui concerne la mort, il la rationalise, il a son propre conditionnement religieux.

Donc, en réalité, qu'est-ce que la mort — la fin? L'organisme physique prendra fin, parce qu'il vieillit, il prendra fin par l'effet de la maladie, ou par accident. Rares sont ceux d'entre nous qui vieillissent en beauté parce que nous sommes des entités torturées, nos visages en fournissent la preuve à mesure que nous vieillissons — il y a la tristesse de vieillir, de se souvenir des choses du passé.

Peut-on mourir à tout ce qui est « connu », psychologiquement, mourir à tout cela, de jour en jour. A moins d'être affranchi de ce « connu », ce qui est « possible » ne peut jamais être saisi. Pour l'instant le « possible » pour nous est toujours limité au champ du connu ; mais quand il y a liberté, alors ce « possible » est immense. Peut-on mourir, psychologiquement, à tout son passé, à tous ses attachements, ses craintes, ses anxiétés et à la vanité, à l'orgueil, y mourir si complètement que demain vous vous réveillerez un être humain régénéré? Vous allez dire : « Et comment faire, quelle est la marche à suivre? » Il n'y a aucune méthode, parce qu'une « méthode » implique un lendemain ; elle implique que vous allez vous exercer, aboutir à quelque chose plus tard, demain, après de nombreux lendemains. Mais ne pouvez-vous pas en apercevoir la vérité immédiatement — voir la chose vraiment dans le vif et non pas théoriquement — voir que l'esprit ne peut pas être innocent, jeune, plein de fraîcheur, de vitalité, passionné, à moins qu'il n'y ait une fin psychologique à tout ce qui appartient au passé? Mais nous ne voulons pas lâcher le passé parce que nous sommes le passé; toutes nos pensées ont leurs racines dans le passé, tout notre savoir est le passé; c'est pourquoi l'esprit est incapable de lâcher prise; tout effort qu'il pourrait faire dans ce sens, fait encore partie du passé, c'est le passé nourrissant l'espoir de parvenir à un état différent.

L'esprit doit être extraordinairement serein, silencieux; et il devient tranquille et silencieux sans qu'il y ait aucune résistance, sans l'emploi d'aucun système, dès l'instant où il aperçoit l'étendue, la portée de la question. L'homme a toujours recherché l'immortalité; il peint un tableau, il y appose son nom, c'est une forme d'immortalité; le fils est un prolongement de son père, et c'en est encore une autre forme; on veut laisser un nom derrière soi, toujours l'homme a le désir de laisser quelque chose de soi derrière lui. Or, qu'a-t-il à laisser — à part son savoir technique — mais de lui-même qu'a-t-il à donner? Qu'est-il? Vous et moi, que sommes-nous psychologiquement? Peut-être votre compte en banque est-il mieux garni, peut-être êtes-vous plus intelligent que moi, plus ceci ou cela; mais psychologiquement, que sommes-

44

nous? Un ramassis de paroles, de souvenirs, d'expériences et voilà ce que nous devrions transmettre à un fils, inscrire dans un livre ou rendre dans un tableau, « moi ». Et ce « moi » prend une importance extraordinaire, ce « moi » qui s'oppose à la communauté, ce « moi » désirant s'identifier, s'accomplir, connaître le silence, vous savez tout ce qui s'ensuit. Et quand vous observez ce « moi », vous voyez que c'est un amas de souvenirs, de paroles vides : c'est à cela que nous nous cramponnons ; et « cela » c'est l'essence même de cette séparation entre le vous et le moi, le eux et le nous.

Quand vous avez compris tout cela, que vous l'observez, non pas à travers un autre mais par vous-même, que vous l'observez de très près sans aucun soupçon de jugement, d'évaluation, de censure, quand simplement vous observez, vous verrez que l'amour n'est possible que quand il y a mort. L'amour n'est pas mémoire et n'est pas plaisir ; on dit bien que l'amour est lié à l'instinct sexuel — et on revient à cette vieille division entre l'amour profane et l'amour sacré, comportant l'approbation de l'un et la condamnation de l'autre. Mais assurément l'amour n'est rien de tout cela. On ne peut le découvrir totalement et complètement que si l'on est mort au passé, si l'on est mort à tout le labeur, le conflit, la souffrance ; alors il y a amour ; alors on peut faire ce que l'on veut.

Comme nous l'avons dit l'autre jour, il est assez facile de poser une question ; mais posez-la avec une ferme intention, demeurez avec elle jusqu'à ce que vous l'ayez résolue complètement par vous-même ; interroger ainsi a une grande importance ; mais interroger d'une façon négligente en a bien peu.

Question. — S'il n'existe aucune division entre le « ce qui est » et le « ce qui devrait être », on pourrait devenir suffisant, cesser avec complaisance de se tourmenter au sujet des choses affreuses qui se passent.

Réponse. — Le « ce qui devrait être », quelle est sa réalité ? En a-t-il aucune ? L'homme est violent mais il « devrait être paisible ». Quelle est la réalité de ce « devrait être » ? Et pourquoi existe-t-il pour nous ce « devrait être » ? Et si cette division n'existait plus l'homme en deviendrait-il suffisant, satisfait, accepterait-il n'importe quoi ? Accepterais-je la violence si je n'avais aucun idéal de non-violence ? La non-violence nous a été prêchée depuis les temps les plus reculés : ne tuez pas, soyez compatissants et ainsi de suite ; et le fait est celui-ci : l'homme est violent, c'est là « ce qui est ». S'il accepte cet état de choses comme étant inévitable, alors il s'y complaît — et c'est ce qui se passe maintenant. Il a accepté la guerre comme faisant partie de la vie et il continue à guerroyer, bien qu'il y ait des milliers de sanctions religieuses, sociales et autres qui nous enjoignent de ne pas tuer — non seulement les hommes mais les animaux ; cependant, il les tue, les animaux pour s'en nourrir, et il continue à faire la guerre. Donc, s'il n'existait aucun idéal du tout, vous resteriez avec « ce qui est ». En serions-nous pour cela plus enclins à la complaisance? Ou bien n'auriez-vous pas plutôt l'énergie, l'intérêt, la vitalité qu'il faut pour résoudre « ce qui est »? L'idéal de non-violence n'est-il pas une évasion devant le fait de la violence? Quand l'esprit ne s'évade pas, mais qu'il est devant ce fait, sachant qu'il est violent, sans condamner, sans juger — alors assurément un tel esprit prend une qualité entièrement différente et en lui la violence n'existe plus. Un tel esprit n'accepte pas. La violence ne consiste pas simplement à blesser ou à tuer quelqu'un ; elle est également présente dans cette déformation, ce conformisme, cette imitation, cette obéissance à la moralité courante ou à sa propre moralité. La contrainte et la suppression dans tous leurs aspects sont une déformation, et par conséquent sont violence. Certes, quand il s'agit de comprendre « ce qui est », il faut qu'existent une tension, un état d'éveil, permettant de découvrir ce qui existe vraiment, et ce qui existe vraiment c'est cette division créée par l'homme, conséquence du nationalisme qui est une des principales causes de la guerre ; nous l'acceptons, nous révérons le drapeau ; et puis il y a des divisions engendrées par la religion ; nous sommes chrétiens, bouddhistes, ceci ou cela. Ne pouvons-nous pas nous affranchir de « ce qui est » en observant les faits dans leur réalité? Mais vous ne pouvez vous en affranchir que quand l'esprit ne déforme en aucune façon ce qu'il observe.

Question. — Quelle est la différence qui existe entre voir conceptuellement ou réellement?

Réponse. — Quand vous voyez un arbre, est-ce conceptuellement ou véritablement? Quand vous voyez une fleur, la voyez-vous directement ou bien ne la voyez-vous pas à travers l'écran de vos connaissances particulières, botaniques ou non botaniques, ou encore à travers l'écran du plaisir qu'elle vous procure, comment la voyez-vous? Si c'est une affaire de vision conceptuelle, autrement dit si vous voyez à travers un écran de pensées, est-ce vision? Voyez-vous votre mari ou votre femme — ne voyez-vous pas plutôt l'image que vous en avez? Cette image est le concept à travers lequel vous voyez conceptuellement; mais quand il n'y a aucune image, alors vous voyez vraiment, il existe un rapport réel.

Donc, quel est le mécanisme qui construit cette image, laquelle nous empêche de voir véritablement l'arbre, la femme ou le mari, ou toute autre chose? Très évidemment — bien que j'espère me tromper — vous avez de moi une image, celle de l'orateur, non? Si vous avez de l'orateur une image, vous ne l'écoutez pas vraiment. Et quand vous regardez votre femme ou votre mari et ainsi de suite, que vous regardez à travers une image, vous ne voyez pas véritablement la personne, vous la voyez à travers l'image, et par conséquent il n'y a entre vous aucune relation réelle. Vous pouvez bien dire: « Je vous aime », cela n'a pas de sens.

L'esprit ne peut-il pas cesser de créer des images? — dans le sens où nous l'entendons pour le moment. Ce n'est possible que quand il est complètement attentif dans

48

l'immédiat, à l'instant même de la sollicitation ou de l'impression extérieure. Prenons un exemple très simple : on vous flatte, c'est une chose qui vous plaît, et ce sentiment de s'y complaire, en lui-même, construit l'image. Mais si vous écoutez cette flatterie avec une attention complète, sans vous y complaire ni éprouver d'irritation, si vous écoutez d'une façon totale et entière, aucune image ne se forme ; vous ne direz pas de cet homme qu'il est votre ami et, contrairement, celui qui vous insulte, vous ne l'appellerez pas non plus votre ennemi. La formation d'images vient d'un état d'inattention ; dès qu'il y a attention aucun concept ne se construit. Faites-le ; on peut s'en apercevoir très facilement. Quand vous accordez votre attention complète en regardant un arbre, une fleur, un nuage, il n'y a plus aucune projection de vos connaissances botaniques, de vos préférences ou de vos aversions, vous regardez tout simplement, ce qui ne veut pas dire que vous vous identifiez à l'arbre (en aucun cas vous ne pouvez *devenir* l'arbre). Si vous regardez votre femme, votre mari, votre ami sans qu'il y ait aucune image, il s'établit un rapport entièrement différent ; alors la pensée n'intervient pas et il y a une possibilité d'amour.

Question. — L'amour et la liberté vont-ils de pair ?

Réponse. — Pouvons-nous aimer sans liberté ? Si nous ne sommes pas libres, pouvons-nous aimer ? Si nous sommes jaloux, pouvons-nous aimer ? Apeurés, pouvons-nous aimer ? Ou si nous poursuivons une ambition particulière dans nos affaires, et que nous rentrons chez nous pour dire : « Ma chérie, je vous aime » — est-ce là de l'amour ? Dans notre bureau nous sommes brutaux, tortueux, et à notre foyer nous nous efforçons d'être dociles, aimants — est-il possible d'aimer d'une main, de tuer de l'autre ? L'ambitieux peut-il jamais connaître l'amour, celui qui est affolé par la concurrence, le peut-il ? Toutes ces choses, nous les acceptons avec la moralité sociale courante, mais quand nous rejetons cette moralité complètement, de tout notre être, nous sommes alors véritablement moraux, mais c'est ce que nous ne faisons pas. Moralement, socialement, nous en sommes responsables et en conséquence nous ne savons pas ce que c'est que l'amour. Sans amour nous ne pouvons jamais découvrir ce que c'est que la vérité, ni découvrir s'il existe ou non un principe tel que Dieu. Nous ne pouvons connaître l'amour que si nous savons mourir à toutes les choses de jadis, à toutes les images du plaisir, images sexuelles ou autres ; et alors quand il y a l'amour, qui en lui-même est vertu, qui en lui-même est moralité — parce qu'il comprend toutes les éthiques possibles — alors ce quelque chose qui est au-delà de l'univers mesurable peut prendre naissance.

Question. — L'individu, plongé comme il l'est dans le chaos, crée la société ; dans le but de modifier la société conseillez-vous que l'individu s'en détache et ne dépende plus d'elle ?

Réponse. — L'individu n'est-il pas la société ? Vous et moi nous avons créé cette société avec nos avidités, notre

50

ambition, notre nationalisme, notre concurrence, notre brutalité, notre violence; tout cela nous l'avons créé extérieurement parce que c'est ce que nous sommes intérieurement. La guerre qui se prolonge au Vietnam, nous en sommes responsables vous et moi, véritablement, parce que nous avons accepté la guerre comme un principe de notre vie. Vous proposez que nous nous en détachions. Au contraire, comment pouvez-vous vous détacher de vous-même? Vous faites partie de cette confusion et vous pouvez vous affranchir de cette laideur, de cette violence, de tout ce qui est là vraiment devant vous, non pas en vous détachant, mais en apprenant à connaître, en observant, en comprenant tout ce qui est en vous, et par conséquent en vous libérant de toute la violence. Vous ne pouvez pas vous détacher de vous-même: cette attitude donne naissance au problème de savoir « qui » se propose de le faire? « Qui » va détacher le « moi » de la société, ou qui va détacher « moi » de « moi-même »? L'entité qui se propose de se détacher, est-ce qu'elle ne fait pas partie de tout ce cirque? Comprendre tout ceci — que l'« observateur » n'est pas différent de la chose observée — c'est la méditation. Elle exige une considérable pénétration en soi-même, une pénétration conduite non analytiquement; ce n'est qu'en s'observant dans les contacts qui s'établissent avec les choses, les biens, les gens, les idées et la nature, que l'on peut découvrir intérieurement ce sentiment de liberté complète.

51

CHAPITRE III

MÉDITATION

Le sens du mot « recherche » — Problèmes soulevés par la contrainte et les méthodes — La qualité du silence
(Londres, 23 mars 1969)

Je voudrais parler d'une chose très importante, à mon sens. L'ayant comprise nous pourrons peut-être parvenir par nous-mêmes à une perception totale de la vie, sans aucune fragmentation, nous permettant une action globale, libre et heureuse.

Nous recherchons sans cesse une certaine qualité de mystère parce que nous sommes insatisfaits de la vie que nous menons, de la superficialité de nos activités. Elles n'ont pas grand sens et nous cherchons à leur attribuer un certain poids, une certaine signification; mais ces tentatives sont purement intellectuelles et, par conséquent, demeurent superficielles, incertaines et, en fin de compte, vaines. Cependant — sachant tout ceci — sachant que nos plaisirs sont fugitifs et nos activités quotidiennes routinières; sachant aussi que nos problèmes, pour la plupart, ne seront probablement jamais résolus, ne croyant à rien du tout, n'ayant plus foi en nos valeurs traditionnelles, nos instructeurs, nos gourous, aux sanctions de l'Eglise ou de la société, sachant tout ceci, la plupart d'entre nous continuons à chercher, à tâtonner, à nous efforcer de trouver quelque chose qui en vaille la peine, quelque chose que la pensée n'a pas corrompu, qui s'accompagne d'un sentiment extraordinaire d'extase et de beauté. La plupart d'entre nous, me semble-t-il, s'efforcent de trouver un état qui soit durable, qui ne se corrompe pas si facilement. Nous écartons ce qui s'impose à nous de toute évidence et il y a en nous une aspiration profonde ; elle n'est ni sentimentale ni émotive, c'est une interrogation intense, capable d'ouvrir pour nous une porte sur quelque chose qui se trouve au-delà des mesures du temps, qui ne peut être classé dans aucune catégorie de foi ni de croyance ; mais ces tâtonnements, cette recherche ont-ils un sens quelconque ?

Nous allons discuter de la question de la méditation ; elle est assez complexe et avant de l'approfondir, il faut que nous nous fassions une idée claire de ce désir de recherche, d'expérimentation, de découverte d'une réalité. Nous avons à comprendre le sens même de la recherche, de la découverte de la vérité, de ce tâtonnement intellectuel vers quelque chose de neuf qui soit au-delà du temps, qui ne soit pas né de nos besoins, de nos contraintes, de notre désespoir. Pouvons-nous espérer trouver la vérité par la recherche et, l'ayant trouvée, pourrons-nous la reconnaître ? Dans ce cas pourrons-nous dire : « Voici la vérité, voici le réel » ? Et la recherche a-t-elle un sens quelconque ? La plupart des gens religieux parlent sans cesse de cette « recherche » de la vérité ; et nous nous demandons *nous*, si celle-ci peut être l'objet d'une recherche. L'idée de chercher, de trouver n'implique-t-elle pas aussi une idée de reconnaître, autrement dit si je trouve quelque chose il faut que je puisse le reconnaître ? Et reconnaître n'implique-t-il pas que j'ai déjà connu ? La vérité est-elle reconnaissable dans ce sens qu'elle a été ressentie auparavant, de sorte que l'on soit en droit de dire : « Voici ce qu'elle est » ? Donc, quelle est la valeur même de la recherche ? Et si elle se trouve n'en avoir aucune, ne pourrait-on pas dire que la valeur réside dans une observation constante, une oreille tendue, un esprit en éveil — ce qui n'est pas la même chose que la recherche. Là où il y a une observation constante il n'y a aucun mouvement du passé. « Observer » implique une vision claire, et pour qu'il y ait une vision claire il faut qu'il y ait liberté, il faut être libre de tout ressentiment, de toute hostilité, de tout préjugé, de toute rancune, de tous ces souvenirs que nous avons accumulés qui sont notre savoir et qui sont autant d'empêchements à notre vision. Quand existe cette qualité, cette liberté qui accompagne un état d'observation constante, observation des choses extérieures aussi bien qu'intérieures, observation de ce qui se passe réellement — dans un tel état quel besoin de recherche ? — car tout est là, le fait, le « ce qui est », tout cela est observé.

Mais dès l'instant où nous nous proposons de modifier « ce qui est » pour en faire autre chose, le processus

54

de déformation se déclenche. Si nous observons en toute liberté, sans déformation aucune, sans aucun jugement, sans aucune attirance vers le plaisir si, purement et simplement, nous observons, nous nous apercevons que « ce qui est » subit une transformation extraordinaire.

La plupart d'entre nous nous efforçons de combler notre vie avec notre savoir, nos distractions, nos aspirations spirituelles, choses qui, comme nous l'avons vu, ont bien peu de valeur; nous voudrions connaître quelque chose de transcendantal, qui soit au-delà de tous les objets de ce monde; nous voudrions ressentir quelque chose d'immense, de sans frontière, qui soit au-delà du temps. S'agissant d'avoir l'expérience de l'inmesurable, il faut comprendre ce qu'implique la notion de l'« expérience ». Pourquoi éprouvons-nous ce besoin d'expérimenter, de ressentir?

S'il vous plaît, n'acceptez pas, ne rejetez pas ce que dit l'orateur, contentez-vous de l'examiner. L'orateur — nous n'insisterons jamais assez sur ce point — n'a aucune valeur du tout. (Il est comme le téléphone, et vous n'obéissez pas à la voix du téléphone. Il n'a aucune autorité, et pourtant vous l'écoutez.) Si vous écoutez avec soin, ce soin est empreint d'affection, non pas d'une idée d'accord ou de désaccord, mais une attitude de l'esprit qui dit: « Voyons un peu ce que vous affirmez, voyons si cela à une valeur quelconque, voyons dans tout cela ce qui est vrai et ce qui est faux. » N'acceptez pas, ne rejetez pas, mais observez et écoutez, non seulement les paroles prononcées mais encore vos propres réactions, le biais par lequel vous prenez les choses tandis que vous tendez l'oreille; constatez vos propres préjugés, vos opinions, vos images, vos expériences et voyez comment tout cela va vous empêcher d'écouter.

Nous demandons donc : Quelle est la portée d'une « expérience »? A-t-elle un sens quelconque? Est-elle capable d'éveiller un esprit qui sommeille, qui s'en tient à certaines conclusions, qui est conditionné et entravé par des croyances? L'expérience est-elle capable de l'éveiller et de mettre à bas toute cette structure? Un tel esprit — si conditionné, si alourdi par ses propres problèmes innombrables, ses désespérances, ses souffrances — est-il capable de répondre à un défi quelconque? Et s'il répond, sa réponse n'est-elle pas forcément inadéquate et ne va-t-elle pas donner naissance à de nouveaux conflits? Rechercher sans cesse une expérience plus large, plus profonde, plus transcendante, est une façon d'éviter la réalité immédiate du « ce qui est », à savoir nous-mêmes en somme, notre propre conditionnement. Un esprit extraordinairement éveillé, libre, intelligent, quel besoin a-t-il, quel besoin pourrait-il avoir d'une « expérience » quelconque? La lumière est la lumière, elle ne demande pas qu'on lui en donne davantage. Ce désir d'une nouvelle « expérience » est une évasion du réel, de « ce qui est ».

Dès l'instant où nous sommes quittes de cette éternelle recherche, libérés du désir et du besoin d'expérience de quelque chose d'extraordinaire, nous pouvons alors aller plus avant et découvrir ce que c'est que la méditation. C'est un mot qui, comme les mots « amour », « mort », « beauté », « bonheur », est chargé. Il existe tant d'écoles, prêtes à vous apprendre comment méditer. Cependant, pour comprendre ce que c'est que la méditation, il faut poser les bases d'un comportement juste. Dépourvue de cette base, la méditation est une forme d'autohypnose. Si nous ne sommes pas affranchis de la colère, de la jalousie, de l'envie, de l'avidité, de la haine, de la concurrence, du désir de réussir, toutes ces formes respectabilisées et morales de ce qu'on juge être bien, si nous ne posons pas une fondation juste, si nous ne menons pas réellement une vie quotidienne affranchie des déformations que donnent la peur personnelle, l'anxiété, l'avidité et ainsi de suite, la méditation est bien peu de chose. Il est de toute première importance de poser cette base et l'on se demande alors : qu'est-ce que la vertu, qu'est-ce que la moralité vraie? S'il vous plaît, n'allez pas dire que c'est une question embourgeoisée, qu'elle n'a plus de sens dans une société où tout est plus ou moins permis, qui ferme les yeux sur n'importe quoi. Ce genre de société ne nous intéresse pas ; ce qui nous intéresse, c'est une vie complètement libérée de toute crainte, une vie où peut régner un amour profond et durable. Sans une telle base, la méditation devient une déviation ; elle est comparable à l'habitude de se droguer (qui est si courante) dans le but d'obtenir une expérience extraordinaire tout en menant une petite vie quelconque.

Ceux qui prennent des drogues ont, en effet, des expériences étranges, peut-être perçoivent-ils quelques couleurs plus vives, ils sont peut-être un peu plus sensitifs et, dans cet état de sensitivité dû à des phénomènes chimiques, peut-être leur arrive-t-il de voir des objets dans une perspective où n'existe plus l'espace entre l'observateur et la chose observée; mais le phénomène chimique une fois évanoui, ils retombent dans leur état précédent où sévissent la peur, l'ennui, la routine ancienne — et il ne leur reste plus qu'à reprendre de la drogue à nouveau.

Donc, à moins d'établir cette base de vertu, la méditation devient un procédé destiné à maîtriser l'esprit, à le contraindre au calme, à l'imitation servile d'un modèle établi selon tel ou tel système où l'on vient nous dire: « Faites toutes ces choses et grande sera votre récompense. » Mais un tel esprit, malgré tout ce qu'il pourra faire, suivant toutes les méthodes et tous les systèmes que l'on vous propose, un tel esprit restera étroit, mesquin, conditionné et par conséquent sans valeur. Il nous faut donc examiner ce que c'est que la vertu, le comportement. Celui-ci est-il le résultat de l'entourage, du conditionnement, d'une société, d'une culture dans laquelle on a été élevé? Vous vous comportez selon tout cela, est-ce là vertu? Ou bien au contraire la vertu ne se trouve-t-elle pas dans la libération et le rejet de la moralité sociale, imprégnée comme elle l'est, d'envie, d'avidité et de tout ce qui s'ensuit — choses qui sont cependant

58

tenues pour être hautement respectables? La vertu peut-elle être cultivée? Et si elle le peut, ne devient-elle pas une chose mécanique et par conséquent dépourvue de toute espèce de « vertu » réelle? La vraie vertu est une chose qui vit, qui coule, qui se renouvelle constamment et qui ne peut pas être structurée dans le temps; c'est comme si vous proposiez de cultiver l'humilité. Seul l'homme vaniteux cultive l'humilité et tout ce qu'il pourra cultiver restera vanité. Mais en voyant très clairement la nature de la vanité, de l'orgueil, c'est par la vision même de ces choses que l'on s'en affranchit, et c'est là qu'est l'humilité.

Quand ceci sera très clair, nous pourrons alors aller plus avant et nous demander ce que c'est que la médita-tion. Si vous ne pouvez pas faire ceci profondément, avec sérieux et avec ardeur, non pas pour vous distraire pendant un ou deux jours et ensuite tout laisser tomber, alors, s'il vous plaît, ne parlez pas de méditation. La médi-tation, dès l'instant où vous comprenez ce qu'elle est, est une des choses les plus merveilleuses; mais vous ne pouvez absolument pas la comprendre si vous n'avez pas cessé de chercher, de tâtonner, d'avoir soif, de vous emparer avidement de ce que vous pensez être la vérité — et qui n'est qu'une projection de vous-même. Vous ne pouvez pas la connaître si vous n'avez pas cessé d'aspirer à une « expérience », mais, au contraire, il vous faut comprendre la confusion dans laquelle vous vivez, le désordre de votre vie. C'est par l'observation de ce désordre que l'ordre prend naissance, un ordre qui n'est pas un projet, qui n'est pas du planning. Ceci, quand vous l'avez fait — et c'est déjà de la méditation — vous pourrez alors vous demander non seulement ce qu'est la méditation mais surtout ce qu'elle n'est pas, parce que c'est dans le rejet du faux que réside le vrai.

Tout système, toute méthode qui prétend enseigner comment méditer sont évidemment faux. Intellectuellement et logiquement on peut voir pourquoi ; parce que dès l'instant où vous vous exercez à quelque chose en vous conformant à une méthode — si noble, si ancienne, si moderne, si dernier cri qu'elle soit — vous tombez dans le mécanisme, vous vous répétez sans cesse afin d'aboutir à un certain résultat. Mais dans la méditation vraie la fin n'est pas autre chose que les moyens. La méthode, elle, vous promet quelque chose ; c'est un moyen employé en vue d'une fin. Si les moyens sont mécaniques, alors la fin est également le produit d'un mécanisme ; l'esprit mécanique dit : « Je vais gagner quelque chose. » Or, vous devez être complètement libéré de toute méthode, de tout système ; c'est déjà là un début de méditation ; déjà vous avez rejeté quelque chose de complètement faux, de complètement vain.

Il y a aussi des gens qui s'exercent à la « lucidité ». Peut-on s'exercer à la « lucidité » ? — si vous vous y exercez vous êtes tout le temps inattentif. Il s'agit de prendre lucidement conscience de cet état d'inattention, et non pas de vous exercer à être attentif et, par une prise de conscience lucide, l'attention est déjà là, vous n'avez pas besoin de vous y exercer. Je vous en prie, comprenez ceci, c'est si simple et si clair. Point n'est besoin d'aller en Birmanie ou en Chine, en Inde, dans tous ces endroits nimbés de romantisme mais dépourvus de réalité. Je me souviens d'avoir voyagé jadis dans un autobus, en Inde, avec un groupe de gens. J'étais assis devant à côté du chauffeur et, derrière moi, trois personnes parlaient de la lucidité dans le désir de discuter avec moi de ce qu'elle pouvait être. L'autobus allait très vite, sur la route se trouvait une chèvre et le chauffeur ne fit pas grande attention, il écrasa la pauvre bête. Ces trois messieurs qui parlaient de lucidité et de prise de conscience, ne surent jamais ce qui s'était passé! Vous riez; mais c'est bien ce que nous faisons tous. Intellectuellement nous sommes préoccupés par nos idées de prise de conscience, de lucidité, d'examen verbal et dialectique, d'opinions diverses et, en fait, nous sommes aveugles à ce qui se passe autour de nous.

Il n'y a pas de méthodes auxquelles s'exercer, il n'y a que la chose vivante.

Et maintenant surgit la question : comment maîtriser la pensée? La pensée vagabonde de tous côtés ; vous avez le désir de penser à une chose et la voilà partie à la poursuite d'une autre. Alors on vous dit : « Maîtrisez-là, exercez-vous, pensez à un tableau, une phrase, n'importe quoi, concentrez-vous ; et votre pensée bourdonne dans une direction différente, et vous la tirez en arrière et cette

61

lutte se poursuit en avant et « da capo ». Alors on se demande : quel besoin de contrôler la pensée et quelle est l'entité qui se propose de la contrôler ? S'il vous plaît, suivez ceci de très près. Faute de comprendre cette question, il sera impossible de voir ce que signifie la méditation. Quand on dit : « Il me faut contrôler ma pensée », qui est celui qui contrôle, qui est le censeur ? Est-il différent de la chose qu'il prétend censurer, mouler ou modifier, pour la faire parvenir à d'autres qualités ? Ne sont-ils pas tous deux une seule et même chose ? Or, que se passe-t-il quand le penseur s'aperçoit qu'il *est* la pensée — et il l'est — que l'« expérimentateur » est l'expérience ? Que faire alors ? Vous comprenez la question ? Le penseur est la pensée et la pensée vagabonde de-ci de-là ; et alors le penseur, se figurant être autre chose, affirme : « Il faut que je la maîtrise. » Mais le penseur est-il différent de cette chose qu'il appelle pensée ? Et s'il n'y a pas de pensée, y a-t-il un penseur ?

Que se passe-t-il quand le penseur s'aperçoit qu'il est la pensée ? Que se passe-t-il véritablement quand le penseur *est* la pensée, de même que l'« observateur » *est* la chose observée ? Que se passe-t-il ? Dans un tel état il n'y a pas de séparation, pas de division, et par conséquent pas de conflit ; et plus n'est besoin de contrôler ni de mouler la pensée. Que se passe-t-il alors ? La pensée continue-t-elle à vagabonder ? Avant, il y avait un contrôle de la pensée, une concentration, il y avait un conflit entre le « penseur » se proposant de contrôler la pensée, et la pensée errant dans tous les sens. C'est là ce qui se passe tout le temps pour nous tous. Et puis, tout à coup, il y a une subite illumination par laquelle on aperçoit que le « penseur » est la pensée — c'est une réalisation, ce n'est pas une affirmation verbale, c'est un mouvement réel. Que se passe-t-il alors? Y a-t-il encore cette pensée qui vagabonde? Quand l'« observateur » se prend pour autre chose que sa pensée, alors il se propose de la censurer; il peut alors dire: « Ceci est une pensée juste ou une pensée injuste », ou « la pensée vagabonde, il me faut la contrôler ». Mais quand le penseur réalise qu'il est lui-même la pensée, y a-t-il encore vagabondage? Regardez en vous-mêmes, messieurs, n'acceptez pas ce qui est dit mais voyez par vous-mêmes. Il y a conflit quand il y a résistance; la résistance est engendrée par le penseur, se figurant qu'il est autre chose que la pensée; mais quand il se rend compte, quand il voit qu'il est lui-même la pensée, il n'y a plus de résistance — et il ne s'ensuit pas que la pensée vagabonde dans tous les sens suivant sa fantaisie, bien au contraire.

Alors toute cette notion du contrôle et de la concentration subit un immense changement; l'esprit devient toute attention, quelque chose d'entièrement différent. Quand une fois on a compris la nature de l'attention, qu'elle peut se porter sur un foyer, on comprend qu'elle est entièrement différente de la concentration, laquelle implique exclusion. Vous allez alors demander: « Puis-je faire quoi que ce soit sans concentration? » La concentration n'est-elle pas nécessaire si je veux accomplir quelque chose? Mais ne pouvez-vous pas faire quelque chose grâce à l'attention — qui n'est pas concentration.

L'« attention » implique être présent, c'est-à-dire écouter, entendre, voir, avec tout votre être, avec votre corps, avec vos nerfs, avec vos yeux, avec vos oreilles, votre esprit, votre cœur, totalement. Et dans cette attention totale — où il n'y a pas de division — vous pourrez faire tout ce que vous voudrez; dans une telle attention on ne rencontre pas de résistance. Puis se pose la question suivante: l'esprit, qui comprend le cerveau — le cerveau qui est conditionné, qui est le résultat de milliers et de milliers d'années d'évolution, le cerveau où s'emmagasinent les trésors de la mémoire — peut-il être calmé? Quand l'esprit tout entier est apaisé, silencieux, alors seulement il peut y avoir une perception, une vision claire, dans un esprit dégagé de toute confusion. Comment peut-il être tranquille, silencieux? Je ne sais pas si vous avez jamais constaté par vous-même qu'en regardant un très bel arbre, un nuage plein de splendeur et de lumière, il vous faut regarder d'une façon complète, silencieuse, autrement vous ne regardez pas directement, vous regardez ayant en vous une image quelconque teintée de plaisir, un souvenir d'hier et vous ne regardez pas vraiment, vous regardez l'image plutôt que le fait.

On se demande donc si l'esprit dans sa totalité, cerveau compris, peut être complètement immobile? Des gens se sont posé cette question — des gens véritablement très sérieux — ils n'ont pas pu la résoudre, ils ont usé de procédés, ils ont dit que l'esprit peut être apaisé par une répétition de paroles. Vous y êtes-vous jamais essayés — répétant « Ave Maria », ou ces paroles sanscrites que certaines gens nous ont amenées des Indes, des mantras — une répétition de certaines paroles destinées à calmer l'esprit? Si vous répétez n'importe quel mot, peu importe lequel, faites-en quelque chose de rythmé — Coca-Cola, ou autre chose — répétez-le souvent, vous verrez que votre esprit s'apaise; mais c'est un esprit émoussé, ce n'est pas un esprit sensitif, en éveil, actif, vivant, passionné, intense. Un esprit terne peut affirmer: « J'ai passé par une expérience transcendantale immense »; il ne fait que se tromper lui-même.

Ce n'est donc pas par la répétition de paroles, ni en prenant des mesures de contrainte que l'on y parviendra; l'esprit a été le jouet de trop de procédés pour être réduit au calme; et cependant on sent profondément en soi-même que quand l'esprit est apaisé, silencieux, alors tout est accompli, alors il y a une perception véritable.

Donc, comment l'esprit, cerveau compris, peut-il être complètement silencieux? Les uns vous diront: « Respirez comme il le faut, aspirez profondément », autrement dit: « Augmentez la teneur en oxygène de votre sang »; un petit esprit misérable qui se met à respirer très profondément, jour après jour, peut parvenir à un calme relatif; mais il demeure ce qu'il était, un petit esprit misérable. Ou bien par l'exercice du yoga? Encore une fois tout cela implique bien des choses. Yoga signifie habileté dans l'action, et non pas simplement la mise en pratique de certains exercices pour maintenir le corps dans un état de santé, de force, de sensitivité. Ceci comprend une juste alimentation, ne pas bourrer le corps d'une masse de viande et ainsi de suite (mais laissons cela de côté, vous êtes probablement tous des mangeurs de viande). L'habileté dans l'action exige une grande sensitivité du corps, une légèreté, une alimentation juste, n'obéissant pas aux ordres de votre langue ni de vos habitudes.

Dès lors que faire? Cette question, qui la pose? On voit très clairement que nos vies sont désordonnées intérieurement et extérieurement; et cependant un ordre est nécessaire, un ordre aussi rigoureux que l'ordre mathématique; et celui-ci ne peut prendre naissance que par une observation du désordre, et non pas en faisant des efforts pour se conformer à une planification de ce que d'autres ou vous-même ont considéré comme étant ordre. En voyant, en prenant connaissance du désordre, c'est ainsi que surgit l'ordre. On peut voir aussi qu'il est besoin d'un esprit extraordinairement calme, sensitif, en éveil, dégagé de toute habitude physique ou psychologique; et comment parvenir à un tel état? Qui pose cette question? La question est-elle posée par cet esprit qui bavarde, cet esprit qui sait tant de choses? Mais n'a-t-il pas appris une nouvelle chose, laquelle est: « Je ne peux voir très clairement que quand je suis silencieux et, par

66

conséquent, il faut que je le sois. » Il se dit ensuite :
« Comment être silencieux ? » Mais une telle question est
assurément fausse en elle-même ; dès l'instant où l'on
exprime l'idée de « comment », cela implique la recherche
d'un système, détruisant par là la chose même que l'on
examine ; autrement dit : comment l'esprit peut-il être
entièrement calme — non pas par l'effet de mesures
mécaniques ou contraignantes ? Un esprit qui n'est pas
contraint au silence est extraordinairement actif, sensitif,
éveillé. Mais dès que vous demandez « comment », il y a
division qui sépare l'observateur de la chose observée.

Dès l'instant où vous vous rendez compte qu'il
n'existe aucune méthode, aucun système, aucun man-
tram, aucun instructeur, rien au monde qui puisse vous
aider à être silencieux ; quand vous voyez cette vérité,
que seul l'esprit silencieux est capable de voir, alors de
lui-même il le devient. C'est comme quand on voit un
danger et qu'on l'évite ; de la même façon, quand on voit
que l'esprit doit être complètement silencieux, il l'est.

Maintenant la *qualité* de ce silence a de l'importance.
Un très petit esprit peut être très calme, il dispose d'un
petit espace au sein duquel il peut l'être ; mais ce petit
esprit avec son petit calme est la chose la plus mortelle-
ment pernicieuse qui soit — vous savez ce que c'est.
Tandis qu'un esprit dont l'espace est sans limite possède
ce calme, ce silence, il n'y a pour lui aucun centre, aucun
« moi », aucun « observateur », il est entièrement différent.
Dans un tel silence il n'y a pas d'« observateur » du tout ;

une telle qualité de silence règne sur un vaste espace, il est activité intense, il n'a pas de frontière; et l'activité de ce silence diffère en tous points d'une activité centrée sur elle-même. Si votre esprit a parcouru cette distance (et elle n'est pas tellement considérable parce que la « chose » est toujours là si vous savez comment regarder), alors peut-être que cette chose recherchée par l'homme à travers les siècles, Dieu, la vérité, l'immensurable, cette chose qu'on ne peut pas nommer, cette chose qui est au-delà du temps, elle est là — sans que vous l'ayez invitée, elle est là. Un tel homme est véritablement béni, pour lui il y a vérité et extase.

Voulez-vous que nous discutions de tout ceci, que nous posions des questions. Vous pourriez me dire: « Quelle valeur tout cela peut-il bien avoir dans ma vie quotidienne? » — « Il me faut vivre, aller au bureau, il y a ma famille, mon patron, la concurrence — et que faire de tout ceci? » Vous ne vous la posez pas, cette question. Si vous vous la posez, c'est que vous n'avez pas suivi tout ce qui a été dit ce matin. La méditation n'est pas une chose étrangère à la vie quotidienne; n'allez pas vous retrancher dans un coin de votre chambre pour méditer pendant dix minutes, et en sortir ensuite pour agir comme un boucher — métaphoriquement ou littéralement. La méditation est une des choses les plus graves; on la pratique toute la journée, au bureau, dans la famille, quand vous dites à quelqu'un: « Je vous aime », et quand vous contemplez vos enfants, quand vous les

68

élevez pour devenir des soldats, pour tuer, pour être nationalisés, pour vénérer un drapeau, pour se laisser prendre au piège de ce monde moderne; observez tout cela, constatez-le, la part que vous en prenez, tout cela fait partie de la méditation. Et quand vous méditerez ainsi, vous y trouverez une extraordinaire beauté; vous agirez avec justesse à chaque instant; et si par hasard, à un certain moment, vous n'agissez *pas* avec justesse, cela n'a pas d'importance, vous reprendrez le fil après — et vous ne perdrez aucun temps à vous laisser aller à de vains regrets. La méditation fait partie de la vie et n'est pas quelque chose d'un autre ordre.

Question. — Pouvez-vous nous parler de la paresse?
Réponse. — La paresse — et tout d'abord où est le mal? Ne confondons pas la paresse avec le loisir. La plupart d'entre nous, malheureusement, sommes paresseux, enclins à l'indolence, et alors nous nous fouettons pour nous forcer à une activité — et nous devenons plus paresseux que jamais. Plus je dresse de résistance contre ma paresse, plus je suis paresseux. J'observe ma paresse le matin quand je me lève, me sentant terriblement indolent, me refusant à faire tant de choses qui m'attendent. Pourquoi mon corps est-il devenu paresseux? — Peut-être ai-je trop mangé, je me suis laissé aller à des abus sexuels, j'ai fait hier tout ce qu'il faut pour alourdir et amortir mon corps; et alors celui-ci dit: « Pour l'amour de Dieu laissez-moi tranquille encore un petit peu »; alors

on veut le fouetter, le contraindre à l'activité, mais sans rien changer à sa manière de vivre, et on prend une pilule pour se stimuler à plus d'activité. Mais si l'on veut bien observer de près, on verra que le corps a sa propre intelligence; il faut beaucoup de pénétration pour sentir l'intelligence du corps. On le force, on le pousse; on est habitué à manger de la viande, à boire, à fumer, vous savez tout ce qui s'ensuit, et alors le corps lui-même perd sa propre intelligence organique, intrinsèque. Pour lui permettre d'agir avec intelligence, l'esprit doit être lui-même intelligent et ne pas se permettre d'intervenir dans les activités du corps. Essayez et vous verrez qu'alors la paresse prend un tout autre visage.

Il y a aussi la question des loisirs. Il y a de plus en plus de loisirs pour tout le monde, plus particulièrement dans les sociétés riches. A quoi consacrer ces loisirs? — cela devient un problème. Nous nous octroyons plus de divertissements, plus de cinémas, plus de télévision, de livres, de bavardages, de courses en bateau, de parties de cricket: vous savez, on se lève, on sort et on remplit le temps des loisirs avec toutes sortes d'activités. L'Eglise vous enjoint de les consacrer à Dieu, d'aller à l'église, de prier, tous ces trucs qu'ils ont toujours pratiqués et qui ne sont qu'une autre forme de divertissement. Ou bien, interminablement, on parle de choses et d'autres. Vous disposez de loisirs: allez-vous vous en servir pour vous tourner vers l'extérieur ou vers la vie intérieure? La vie n'est pas uniquement vie intérieure; la vie est mouvement, elle est comme la marée qui monte et qui descend. Qu'allez-vous faire de vos loisirs? Devenir plus instruit, capable de citer des pages entières de livres? Allez-vous vous mettre à faire des conférences (comme moi, malheureusement), ou bien à pénétrer profondément en vous-même? Pour pénétrer profondément en soi-même, il faut comprendre l'extérieur. Plus vous comprendrez l'extérieur — non seulement des faits tels que la distance entre ici et la lune, ou telle ou telle connaissance technique, mais les mouvements extérieurs et visibles de la société, les guerres, les nations, cette haine qui règne partout — quand vous comprenez ce qui est extérieur, alors vous pouvez pénétrer très très profondément intérieurement et cette profondeur intérieure est sans limite. Jamais vous n'allez dire: « Je suis arrivé au bout, ceci est l'illumination. » L'illumination ne peut pas vous être donnée par un autre; elle vient quand est comprise la confusion; et pour comprendre la confusion il vous faut la regarder.

Question. — Si vous dites que le penseur et la pensée ne sont pas choses séparées; et si l'on se figure que le penseur est séparé et qu'en conséquence on s'efforce de contrôler sa pensée, réveillant ainsi la lutte et la complexité de l'esprit, s'il est vrai que le silence ne peut être trouvé de cette façon-là, alors je ne comprends pas — si le penseur est la même chose que sa pensée — comment cette séparation a pris naissance en premier lieu. Comment la pensée peut-elle se combattre elle-même?

71

Réponse. — Comment la séparation entre le penseur et sa pensée peut-elle surgir étant donné qu'ils sont une seule et même chose? En est-il ainsi pour vous? Est-ce véritablement un fait pour vous que le penseur est sa pensée — ou bien vous figurez-vous que cela devrait être ainsi et, par conséquent, pour vous ce n'est pas une réalité? Pour vous rendre compte de cela il vous faut beaucoup d'énergie; autrement dit, quand vous voyez un arbre il vous faut avoir une intense énergie pour ne pas sentir cette division entre le « moi » et l'arbre. Pour vous en rendre compte, il vous faut une immense énergie; alors il n'y a pas de division et pas de conflit entre les deux, il n'y a pas lieu d'avoir recours à la contrainte. Mais comme la plupart d'entre nous sommes conditionnés à cette idée que le penseur est différent de la pensée — c'est de là que jaillit le conflit.

Question. — Pourquoi nous paraissons-nous si compliqués?

Réponse. — Parce que nous avons des esprits très compliqués, n'est-il pas vrai? Nous ne sommes pas des gens simples qui regardent les choses simplement; nos esprits sont compliqués et la société évolue, elle devient de plus en plus complexe — tout comme nos esprits. Pour comprendre quelque chose de très compliqué, il faut soi-même être très simple. Pour comprendre quelque chose de très compliqué, un problème très complexe, il faut regarder directement le problème lui-même sans faire intervenir toutes les conclusions, les réponses, les suppositions et les théories. Quand vous le regardez — et sachant que la réponse se trouve dans le problème — votre esprit devient très simple; la simplicité est dans l'observation et non dans le problème qui, lui, peut être complexe.

Question. — Comment puis-je voir l'ensemble des choses comme un tout?

Réponse. — Nous avons l'habitude de regarder les choses fragmentairement, de voir l'arbre comme une chose séparée, la femme, le bureau, le chef, tout cela fragmentairement. Comment puis-je voir le monde dont je fais partie d'une façon globale, complète et sans division? Maintenant, monsieur, écoutez, contentez-vous d'écouter; qui va répondre à cette question? Qui va vous dire comment regarder — l'orateur? Vous avez posé cette question et vous attendez une réponse, de qui? Si la question est véritablement très grave — et je ne dis pas que votre question soit fausse — si la question est véritablement grave, alors quel est le problème? Le problème est alors: « Je suis incapable de voir les choses globalement, parce que je considère tout par fragments! » Et pourquoi l'esprit considère-t-il toutes choses par fragments, pourquoi? J'aime ma femme et je déteste mon chef de bureau! Vous comprenez? Si vraiment j'aime ma femme, il s'ensuit que je dois aimer tout le monde. Non? N'allez pas dire oui, parce que vous ne le faites pas; vous n'aimez pas votre femme et vos enfants, bien que vous puissiez le prétendre. Si vous aimiez votre femme et vos enfants, vous les éduqueriez autrement, vous en auriez soin, je ne dis pas financièrement, mais d'une autre manière. Ce n'est que quand il y a amour que les divisions cessent d'exister, vous comprenez, monsieur? Quand vous haïssez il y a division, et dès cet instant vous êtes anxieux, avide, envieux, brutal, violent. Mais quand vous aimez — non pas quand vous aimez avec votre intelligence, l'amour n'est pas un mot, l'amour n'est pas le plaisir — quand vous aimez vraiment, alors le plaisir, la vie sexuelle et ainsi de suite, ont une coloration différente; dans un tel amour il n'y a pas de division. La division paraît avec la peur. Quand vous aimez il n'y a plus de « moi » ni de « vous » ni d'« eux ». Mais maintenant vous allez dire: « Comment puis-je aimer? Comment puis-je sentir ce parfum de la vie? » A cela il n'y a qu'une seule réponse, regardez-vous vous-même, observez-vous vous-même; ne vous frappez pas, mais observez et de cette observation, en voyant les choses telles qu'elles sont, peut-être naîtrez-vous à l'amour. Mais il faut travailler très durement cette besogne d'observation, et non pas en étant indolent, non pas en étant inattentif.

Chapitre IV

L'HOMME PEUT-IL CHANGER?

L'énergie. Gaspillage d'énergie dans le conflit
(Amsterdam, 3 mai 1969)

Nous observons les conditions extérieures qui règnent dans le monde et constatons ce qui s'y passe — révoltes d'étudiants, préjugés de classes, conflit entre les Blancs et les Noirs, guerres, chaos politiques, divisions qu'entraînent les nationalités et les religions. Intérieurement aussi, nous souffrons d'un état de conflit, de lutte, d'anxiété, de solitude, de désespoir, de manque d'amour et de peur. Pourquoi admettons-nous un tel état de choses? Pourquoi acceptons-nous les conditions morales et sociales, sachant très bien qu'elles sont foncièrement immorales? Sachant cela dans le fond de nos cœurs — non pas seulement émotionnellement et sentimentalement, mais simplement en regardant le monde et nous-mêmes — pourquoi vivre ainsi? Pourquoi notre système éducatif ne produit-il pas de vrais êtres humains au lieu d'entités mécaniques dressées à remplir certaines tâches pour, en fin de compte, mourir? Ni l'éducation ni la science ni la religion n'ont, en aucune façon, résolu nos problèmes.

Nous observons toute cette confusion, mais pourquoi chacun de nous l'accepte-t-il au lieu de briser en nous-mêmes le processus tout entier? Il me semble que nous avons à nous poser cette question, non pas intellectuellement, dans le but de dénicher quelque dieu, quelque réalisation, quelque bonheur particulier, lesquels inévitablement conduiront à des évasions diverses, mais plutôt en contemplant tout ce tableau dans le calme, avec des yeux qui ne cillent pas, sans émettre aucun jugement, aucun jugement de valeur. Nous devrions nous poser cette question avec une mentalité d'adulte: « Pourquoi vivre ainsi, lutter et mourir? » Et si nous nous la posons avec sérieux, dans la pleine intention de comprendre, dès cet instant les philosophies, les théories, les hypothèses idéalistes n'ont plus aucune raison d'être. Ce qui importe n'est pas ce qui devrait ni ce qui pourrait être, ni selon quels principes nous devrions vivre, quels devraient être nos idéaux, vers quelle religion ou vers quel gourou nous pourrions nous tourner. Il est évident que toutes ces réactions sont absolument vaines devant cette confusion, cette souffrance, ce conflit sans fin. Nous avons fait de notre vie un champ de bataille où chaque famille, chaque groupe, chaque nation se dresse contre l'autre. Et si vous considérez tout cela, non pas comme une idée, mais comme quelque chose devant quoi vous vous trouvez véritablement, à quoi vous devez faire face, vous allez vous demander: au fond, de quoi s'agit-il? Pourquoi continuons-nous de vivre ainsi, sans aimer, toujours en proie à la terreur et à la peur jusqu'à l'instant de notre mort?

Cette question étant posée, qu'allez-vous faire? Elle n'inquiète pas les gens qui sont installés agréablement à l'abri d'idéaux rebattus, dans une maison confortable, disposant d'un peu d'argent et qui sont, en somme, profondément respectables dans leur traintrain bourgeois. Ceux-là, s'il leur arrive de se poser des questions, y répondent selon leurs satisfactions individuelles. Mais ce problème est un problème très courant, très humain, qui affecte la vie de chacun de nous, les pauvres comme les riches, les jeunes comme les vieux: pourquoi persistons-nous dans cette vie monotone et sans but; aller à notre bureau, travailler dans un laboratoire ou dans une usine pendant quarante années, engendrer quelques enfants, les élever dans l'absurdité, pour finir dans la mort? Cette question, il me semble que vous devez y faire face de tout votre être, afin de découvrir ce qu'il en est. Vous pourrez dès lors aborder la question suivante: de savoir si l'être humain est capable d'une mutation radicale, fondamentale, lui permettant de voir le monde, un monde neuf avec des yeux différents, un cœur différent, n'étant plus rempli de haine, d'hostilité, de préjugés raciaux, mais avec un esprit clair, imprégné d'une immense énergie.

Ayant vu tout ceci — les guerres, les absurdes divisions qu'engendrent les religions, le mur de séparation levé entre l'individu et la communauté, la famille dressée contre le reste du monde, chaque être humain cramponné à son propre idéal, se divisant en « moi » et « vous », « nous » et « eux » — voyant tout cela à la fois objectivement et psychologiquement, il demeure une question, un problème fondamental qui est de savoir si l'esprit humain, conditionné comme il l'est, est susceptible de changer. Non pas de se trouver transformé dans quelque incarnation future, ni à la fin de sa vie, mais de changer radicalement tout de suite, de connaître une nouvelle fraîcheur, une nouvelle jeunesse, une nouvelle innocence, d'être dégagé de tout fardeau. Il peut dès lors espérer savoir ce que cela signifie que d'aimer et de vivre en paix. Selon moi, c'est là le seul et unique problème. Celui-ci étant résolu, tout autre problème économique et social, tous ces conflits qui conduisent à la guerre prendront fin, et nous aurons une société différemment structurée.

Le problème est donc de savoir si l'esprit, le cerveau et le cœur sont capables de vivre comme pour la première fois, dans la fraîcheur et l'innocence, sans avoir subi de contamination, sachant ce que cela signifie que de vivre heureux, dans l'extase et dans un profond amour.

Vous savez, il y a un certain danger à écouter et à se complaire à des questions purement rhétoriques; or ceci n'est pas du tout une question rhétorique, il s'agit de notre vie même. Les mots et les idées ne nous intéressent pas. La plupart d'entre nous se laissent prendre à leurs pièges, ne s'étant pas rendu compte que jamais le mot n'est l'objet, que jamais la description n'est la chose décrite. Et si, pendant ces cinq causeries, nous pouvions nous efforcer d'approfondir ce grand problème, de constater comment l'esprit humain — comprenant comme il le fait le cerveau, le cœur et le mental — a été conditionné au cours des siècles par la propagande, la peur et d'autres influences, nous pourrions alors nous demander si un tel esprit est capable de subir une transformation radicale. Elle permettrait aux hommes de vivre paisiblement dans le monde entier, dans un monde de grand amour, d'extase, ayant réalisé ce qui est au-delà de toutes les mesures du nôtre.

Voici notre problème, de voir si l'esprit, accablé par la mémoire, les traditions, est susceptible, sans effort, sans lutte, sans conflit, d'allumer en soi la flamme du changement et de brûler toutes les scories du passé. Ayant posé la question — et je suis sûr que toute personne sérieuse et grave le fait — par où allons-nous commencer? Par un changement, devant s'effectuer dans le monde extérieur de l'administration, dans les structures sociales? Ou bien commencerons-nous par le monde intérieur, c'est-à-dire le monde psychologique? Allons-nous observer le monde extérieur avec toute sa science technique, les merveilles accomplies par l'homme dans le domaine scientifique, est-ce par là que nous allons tenter de susciter une révolution? Cela aussi l'homme s'est efforcé de le faire. Il a dit: « Si vous changez de fond en comble les choses extérieures (et c'est ce qu'ont fait toutes les révolutions sanglantes de l'histoire) l'homme alors changera, et il pourra vivre heureux.» Les communistes et d'autres révolutionnaires ont affirmé : « Etablissez l'ordre extérieur et l'ordre intérieur s'ensuivra. » Ils ont dit aussi que l'ordre intérieur importe peu, ce qui importe c'est un ordre dans le monde tangible — un ordre idéal, une utopie, et au nom d'un tel idéal on a massacré des millions d'hommes.

Commençons donc par le monde intérieur, psychologique. Ceci ne signifie pas que vous permettrez à l'ordre social actuel, avec tous ses abus et dans toute sa confusion, de demeurer tel qu'il est. Mais existe-t-il un mur de division entre l'intérieur et l'extérieur? Ou bien n'y a-t-il qu'un seul mouvement comprenant l'intérieur et l'extérieur, non pas comme deux éléments séparés, mais comme faisant partie d'un unique mouvement?

Il me semble qu'il est très important, si nous devons établir entre nous une communication autre que verbale — parlant anglais comme une langue que nous connaissons tous, utilisant les mots que nous comprenons — de faire appel à une autre sorte de communication ; parce que nous allons approfondir des choses graves et sérieuses, et il faut qu'il y ait entre nous une communication intérieure dépassant celle qui se traduit par les seuls mots. Il faut qu'il y ait communion ; cela implique que nous sommes tous deux profondément concernés, que nous avons le souci de ce problème et que nous l'abordons

80

avec une sorte d'affection, nous proposant de le pénétrer à fond. Il faut donc qu'il y ait non seulement une communication verbale, mais encore une profonde communion où il n'est plus question d'être en accord ou en désaccord. Cette question d'être d'accord ou non ne devrait jamais se poser, parce que nous ne sommes pas en train de manipuler des idées, des opinions, des concepts ou des idéaux — il s'agit pour nous du problème d'une mutation humaine. Là, ni votre opinion ni la mienne n'ont aucune valeur. Si vous dites par avance qu'il est impossible de changer l'être humain, qu'il est tel qu'il a été pendant des milliers d'années, vous êtes déjà bloqués, vous n'avancerez plus, vous ne commencerez pas à explorer ou a mettre en question. Mais si par ailleurs vous vous contentez de dire que c'est possible, sans plus, vous vivez dans un monde de possibilités et non pas de réalités.

Il faut donc aborder cette question sans prétendre que l'homme est susceptible de changer ou non. Il faut l'aborder avec un esprit neuf, avide de comprendre et assez jeune encore pour examiner et explorer. Nous devons instaurer non seulement une communication claire et verbale, mais il faudrait qu'existent une communion entre l'orateur et vous-même, un sentiment d'amitié et d'affection né de ce que nous nous intéressons profondément à la même chose. Quand un mari et une femme sont profondément concernés par leurs enfants, ils mettent de côté toutes leurs opinions, leurs préférences

81

et leurs aversions particulières, parce que c'est l'enfant qui les intéresse. Et une telle préoccupation comporte une grande affection, et une action qui n'est pas dirigée par des opinions. De même, il faudrait qu'existe ce sentiment de communion profonde entre vous-même et l'orateur, nous permettant d'aborder de face le même problème, avec la même intensité et au même instant. Alors seulement nous pourrons établir cette communion qui est seule capable de donner naissance à une profonde compréhension.

Donc, voici la question : comment l'esprit, lourdement conditionné comme il l'est, peut-il changer radicalement ? J'espère que vous vous posez cette question à vous-même, parce que s'il n'existe pas de moralité autre que la moralité sociale, pas d'austérité autre que celle prônée par le prêtre avec sa violence et sa dureté ; et, à moins qu'il n'y ait un ordre profond en nous-mêmes, cette recherche de la vérité, de la réalité, de Dieu — de tout ce que vous voudrez l'appeler — est sans portée aucune. Peut-être que ceux d'entre vous qui êtes venus ici pour découvrir comment il est possible de réaliser Dieu ou de passer par une profonde expérience pleine de mystère, peut-être seront-ils déçus ; parce que, à moins d'avoir un esprit neuf, plein de fraîcheur, des yeux capables de discerner le vrai, vous ne pouvez absolument pas comprendre ce qui *est vrai*, l'immensurable, l'ineffable.

Si vous vous contentez de désirer des expériences plus profondes et plus vastes, et que vous continuez à vivre d'une vie vaine et vulgaire, vous aurez alors des expériences sans aucune valeur. Il nous faudra approfondir ceci ensemble et vous allez trouver cette question très complexe parce qu'elle implique beaucoup de choses. Pour comprendre il faut qu'il y ait liberté et énergie; nous devons tous avoir ces deux choses — une grande énergie et la liberté d'observer. Si vous êtes liés à une certaine croyance, attachés à un certain idéal utopique, vous n'êtes évidemment pas libres de regarder.

Il existe donc cet esprit complexe, conditionné à être catholique ou protestant, recherchant sa sécurité, lié ou entravé par l'ambition et la tradition. Pour celui qui est aussi superficiel — sauf en ce qui concerne le champ de la technique — c'est une chose merveilleuse que d'aller dans la lune. Mais ceux qui ont construit les engins spaciaux mènent leur propre petite vie mesquine, jalouse, ambitieuse, anxieuse, et leurs esprits sont conditionnés. Et nous demandons si de tels esprits peuvent être complètement affranchis de tout conditionnement, afin de connaître un genre de vie totalement différent. Pour le découvrir, il faut qu'il y ait liberté dans l'observation et que celle-ci ne parte pas d'un point de vue chrétien, hindou, hollandais, allemand, russe ou quoi que ce soit d'autre. Pour observer très clairement il faut qu'il y ait liberté et ceci implique que l'observation même est action. L'observation même entraîne une révolution radicale. Et pour être capable d'une telle observation, il faut une intense énergie.

Nous nous proposons donc de découvrir pourquoi les êtres humains ne connaissent pas cette énergie, cet élan, cette intensité vers le changement. Ils ont des réserves inépuisables d'énergie quand il s'agit de se quereller, de se massacrer, de diviser le monde, d'aller dans la lune; pour tout cela ils ont toute l'énergie voulue. Mais il semblerait que leur manque celle qu'il faudrait pour se changer eux-mêmes radicalement. Et nous nous demandons par conséquent pourquoi cette carence dans l'énergie?

Devant une telle question je me demande quelle sera votre réaction? Nous avons dit: l'homme a l'énergie voulue pour haïr; quand il y a une guerre, il combat, quand il veut se fuir lui-même il en a la force — il agite des idées, il se distrait, il adore ses dieux, il boit. Quand il est à la poursuite du plaisir sexuel ou autre, il consacre beaucoup d'énergie à l'obtenir. Il a l'intelligence qu'il faut pour se rendre maître de son entourage, pour vivre au fond des mers ou dans les cieux — pour tout ceci il a l'énergie vitale voulue. Mais apparemment il n'a pas celle qu'il faudrait pour changer en lui-même la moindre petite habitude. Pourquoi? Parce que cette énergie se dissipe en conflits intérieurs. Nous ne cherchons pas ici à vous persuader, à faire de la propagande, à remplacer de vieilles idées par des nouvelles. Nous cherchons à découvrir, à comprendre.

Voyez-vous, nous nous rendons compte qu'il nous faut changer. Prenons par exemple la violence et la brutalité — ce sont là des faits, les êtres humains sont brutaux et violents; ils ont construit une société qui est violente, malgré tout ce qu'ont pu dire les religions qui parlent de l'amour du prochain ou de l'amour de Dieu. Ce sont là simplement des rêveries sans aucune valeur, parce que l'homme demeure brutal, violent, égoïste. Puis, étant brutal, il invente de toutes pièces un opposé, à savoir la non-violence. S'il vous plaît, approfondissons ce point ensemble.

L'homme s'efforce constamment de devenir non-violent. Il y a donc un conflit entre ce qui existe qui est la violence, et ce qui devrait être à savoir la non-violence. Entre les deux s'établit un conflit, et une telle situation est l'essence même de l'énergie gaspillée. Tant que persistera cette dualité entre ce qui est et ce qui devrait être — l'homme s'efforçant de devenir quelque chose de différent, faisant des efforts pour atteindre à « ce qui devrait être » — ce conflit sera cause d'un gaspillage d'énergie. Tant qu'existe ce conflit entre les opposés, l'homme n'a pas assez d'énergie pour changer. Mais quel besoin est-il d'un opposé quelconque, la non-violence, l'idéal? L'idéal est sans réalité, il est sans aucune portée, il ne fait que conduire à différentes manifestations d'hypocrisie; on est violent et on fait semblant de ne pas l'être. Ou bien, si vous dites que vous êtes un idéaliste et qu'en fin de compte vous allez devenir paisible, c'est une excuse, un faux semblant, parce que vous mettrez des années pour dompter votre violence — en fait, vous n'y arriverez peut-être jamais, et entre-temps vous êtes un hypocrite et vous êtes encore violent. Mais si nous pouvons, non par la vertu d'une abstraction mais dans la réalité immédiate, mettre complètement de côté tous les idéaux et ne regarder que le fait — dans le cas présent la violence — alors il n'y a pas d'énergie perdue. C'est là une chose qu'il est très important de comprendre, et ce n'est pas une théorie particulière à l'orateur. Tant que l'homme se débat dans le corridor des opposés, il perd forcément de l'énergie, et par conséquent ne peut pas changer.

Donc, d'un seul souffle, il vous faut balayer toutes les idéologies, tous les opposés. Je vous en prie, regardez la chose à fond et comprenez ce point, parce que ce qui se passe alors est tout à fait extraordinaire. Si un homme en colère s'efforce de ne pas l'être ou semble ne pas l'être, il est dans un état de conflit. Mais s'il se dit : « Je vais observer ce que c'est que cette colère, sans chercher à la fuir, ni à la raisonner », alors il a l'énergie qu'il faut pour la comprendre et y mettre fin. Si nous nous contentons de nourrir l'idée que l'esprit *doit* être affranchi de tout conditionnement, il demeurera toujours une dualité entre le fait et le « ce qui devrait être ». Tout cela est par conséquent cause d'une déperdition d'énergie. Tandis que si vous vous dites : « Je veux découvrir par quel processus l'esprit est conditionné », c'est comme si vous alliez trouver un chirurgien quand vous êtes cancéreux. Le chirurgien s'intéresse à l'opération, à la destruction de la maladie. Mais si le malade rêve de la vie joyeuse qu'il mènera après, ou s'il se laisse épouvanter à l'idée de l'opération, c'est un gaspillage d'énergie.

86

Ce qui nous importe, c'est de constater le fait du conditionnement de l'esprit et non pas de se laisser absorber par l'idée qu'il « devrait être libre ». Si l'esprit est inconditionné, il est *libre*. Nous allons donc découvrir et regarder de très près quelle est la cause du conditionnement, quelles influences lui ont donné naissance, et pourquoi nous l'acceptons. Il y a en premier lieu la tradition qui joue dans nos vies un rôle immense. Selon cette tradition, le cerveau s'est développé pour assurer notre sécurité physique. On ne peut pas vivre sans aucune sécurité, elle est la première exigence animale : qu'il y ait une certaine sécurité physique ; il faut disposer d'une maison, d'aliments, de vêtements. Mais nos habitudes psychologiques sont d'utiliser ce besoin de sécurité et entraînent ainsi un chaos intérieur et extérieur. La psyché, structurée par la pensée, ne doit-elle pas aussi disposer d'une sécurité intérieure dans toutes ses relations ? Et c'est alors que commencent nos misères. Il faut qu'existe une certaine sécurité physique pour chacun et non pas seulement pour une minorité ; mais cette sécurité physique nécessaire à chaque être humain est rendue impossible quand on recherche, quand on tente d'assurer la sécurité psychologique par les nationalités, les religions, les familles. J'espère bien que vous comprenez et que nous avons établi une sorte de communication entre nous.

Donc il y a le conditionnement nécessaire à la sécurité physique, mais dès l'instant où il y a une exigence et une recherche de sécurité psychologique, le conditionnement prend une influence et une force extravagantes. En somme, psychologiquement, dans nos rapports avec les idées, les gens, les objets, nous aspirons à la sécurité, mais la sécurité psychologique existe-t-elle? Existe-t-il aucune sécurité dans aucun de nos rapports? Très évidemment non. En l'exigeant on rend impossible la sécurité extérieure. Si je veux me sentir psychologiquement en sûreté, garanti en tant qu'Hindou, m'étayant de toutes les traditions, de toutes les superstitions et de toutes les idées qui s'y rattachent, je m'identifie à une unité plus vaste, et ceci m'est d'un grand réconfort. J'en viens à adorer mon drapeau, ma nation, ma tribu, et à me séparer du reste du monde. Cette division entraîne très évidemment une insécurité physique. Quand je m'incline devant la nation, les coutumes, les dogmes religieux, les superstitions, je m'isole dans ces catégories et j'en suis évidemment amené à ignorer la sécurité physique des autres. L'homme a besoin d'une sécurité physique qui lui est refusée dès l'instant où il recherche une sécurité psychologique. Ceci est un fait, ce n'est pas une opinion — les choses sont ainsi. Quand je recherche la sécurité dans ma famille, auprès de ma femme, de mes enfants, dans ma maison, je m'établis contre le reste du monde, je m'isole nécessairement de toutes les autres familles.

Il est possible de voir très clairement comment débute le conditionnement, comment deux mille années de propagande dans le monde chrétien ont poussé celui-ci à vénérer sa propre culture, et le même phénomène s'est produit en Orient. Ainsi, l'esprit commence à se conditionner lui-même par la propagande, les traditions, le désir de se sentir en sûreté. Mais existe-t-il aucune sécurité psychologique dans nos rapports avec les idées, les gens, les objets? Si le mot rapport signifie être en contact direct avec les choses, vous méconnaissez ces rapports quand vous n'êtes pas en contact. Si j'ai de ma femme une idée ou une image, je n'ai pas de rapport direct avec elle. Je partage peut-être son lit, mais je suis sans rapport avec elle parce que l'image que je me fais d'elle empêche tout contact direct. Et elle, avec l'idée qu'elle a de moi, rend impossible un rapport direct avec moi. Cette sécurité, cette garantie psychologique que l'esprit recherche sans cesse, existe-t-elle? Il est évident que si vous observez de près un rapport quelconque, il ne comporte aucune certitude. Dans le cas d'un mari et d'une femme, ou d'un garçon et d'une fille qui se proposent d'établir un rapport ferme, qu'est-ce qui se passe? Quand le mari ou la femme regarde quelqu'un d'autre, immédiatement surgissent la peur, la jalousie, l'anxiété, les querelles et la haine, et il n'y a aucun rapport permanent. Et pourtant tout le temps l'esprit est assoiffé d'un sentiment de permanence.

Donc, tel est le facteur du conditionnement, par la propagande, les journaux, les revues, l'orateur sur son estrade, et on prend intensément conscience de cette nécessité où nous sommes de ne nous appuyer sur aucune influence extérieure. Vous découvrirez alors ce que cela signifie que de ne pas subir d'influences. Suivez ceci, s'il vous plaît. Quand vous lisez un journal vous subissez une influence consciente ou inconsciente, de même si vous lisez un roman ou n'importe quel livre. Il y a une certaine pression, une tension, une inclination en vous de classer votre lecture dans telle ou telle catégorie. C'est là le but de la propagande. Cela commence dès l'école, et vous passez toute votre vie à répéter ce que d'autres ont dit. Vous êtes par conséquent des êtres humains de seconde main. Et comment un être humain de seconde main pourra-t-il découvrir quelque chose qui soit original, qui soit vrai? Il est très important de comprendre ce que c'est que le conditionnement, de l'approfondir de fond en comble, et c'est en observant ainsi que vous aurez l'énergie vous permettant de briser tous ces conditionnements qui sont des entraves pour l'esprit.

Peut-être désirez-vous poser des questions et approfondir tout ceci, mais souvenez-vous qu'il est très facile de poser des questions, mais que c'est une des choses les plus difficiles que de poser une question juste. N'allez pas croire que l'orateur se propose de vous empêcher d'en poser. Il faut nous poser des questions, mettre en doute tout ce qui a été dit par n'importe qui, les livres, les théories religieuses, n'importe quoi! Il nous faut mettre en question, douter, être sceptique. Mais nous devons aussi savoir quand il convient de laisser tomber le scepticisme et de poser la question juste, parce que dans cette question même est contenue la réponse. Donc, si vous désirez poser des questions faites-le, je vous prie.

90

Question. — Monsieur, êtes-vous complètement toqué?

Réponse. — Vous demandez à l'orateur s'il est toqué? Très bien. Je me demande ce que vous entendez par ce mot « toqué »; voulez-vous dire déséquilibré, atteint d'une maladie mentale, plein d'idées bizarres? Le mot « toqué » implique tout cela. Qui est le juge — vous, moi, un autre? Non, mais sérieusement, qui va juger? Celui qui est toqué va-t-il, lui, juger pour dire qui est toqué et qui ne l'est pas? Si vous jugez que l'orateur est déséquilibré ou non, un tel jugement ne fait-il pas partie de la folie générale de ce monde? Pour juger quelqu'un, alors que vous ne connaissez rien de lui, sauf sa réputation, l'image que vous avez de lui, si vous jugez conformément à cette réputation et la propagande dont on vous a abreuvé, êtes-vous capable de juger? Juger implique une certaine vanité; que le juge soit névrosé ou sain d'esprit, il y a toujours en lui une certaine vanité. La vanité est-elle capable de percevoir ce qui est vrai? Ou bien n'est-il pas besoin d'une grande humilité pour regarder, pour comprendre, pour aimer. Monsieur, c'est une des choses les plus difficiles que d'être sain d'esprit dans ce monde anormal et déboussolé. Etre sain d'esprit implique que l'on n'a aucune illusion, aucune image, ni de soi ni d'un autre. Vous dites : « Je suis ceci, je suis cela, je suis grand, je suis petit, je suis bon, je suis noble », toutes ces épithètes appartiennent à l'image que l'on a de soi. Et dès l'instant où l'on a une image de soi, on est, assurément,

91

un peu déséquilibré, on vit dans un monde d'illusions. Et j'ai bien peur que ce ne soit le cas pour la plupart d'entre nous. Quand vous dites que vous êtes Hollandais — pardonnez-moi de le dire, vous n'êtes pas tout à fait équilibré. Vous vous séparez, vous vous isolez, comme le font d'autres quand ils se prétendent hindous. Toutes ces divisions nationalistes, religieuses, leurs armées, leurs prêtres, tout cela indique un état de déséquilibre mental.

Question. — Peut-on comprendre la violence sans s'inquiéter de son opposé?

Réponse. — Quand l'esprit désire demeurer dans sa violence il invente un idéal de non-violence. Voyez, c'est très simple. Je veux demeurer dans ma violence, c'est ce que je suis, ce que sont les êtres humains, brutaux. Mais il y a une tradition vieille de dix mille ans qui dit : « Cultivez la non-violence. » Il y a donc ce fait que je suis violent et la pensée qui dit : « Voyez-vous, il faut être non-violent. » Tel est mon conditionnement. Comment vais-je m'affranchir de mon conditionnement de façon à regarder, à demeurer avec ma violence, à la comprendre, à la pénétrer à fond et en avoir fini avec elle pour toujours? — non seulement au niveau superficiel, mais encore profondément au niveau prétendu inconscient. Comment l'esprit peut-il éviter d'être pris au piège de l'idéal? Est-ce là la question?

Je vous en prie, écoutez. Nous ne parlons pas de Martin Luther King ou de M. Ghandi, ou de X, Y, Z. Nous ne sommes pas concernés par ces gens, pas du tout — ils ont leurs idéaux, leurs conditionnements, leurs ambitions politiques et rien de tout cela ne nous intéresse. Nous parlons de ce que *nous* sommes, vous et moi, les êtres humains que nous sommes. En tant qu'êtres humains nous sommes violents, conditionnés par la tradition, par la propagande, par notre culture, à créer un opposé à cette violence. Nous utilisons cet opposé quand cela nous convient, et quand cela ne nous convient pas nous le laissons de côté. Nous l'utilisons politiquement ou spirituellement de façons diverses. Ce que nous disons maintenant c'est que, quand l'esprit se propose de demeurer avec la violence et de la comprendre de fond en comble, l'habitude et la tradition interviennent pour nous en empêcher. Elles disent : « Il vous faut avoir un idéal de non-violence. » Comment l'esprit peut-il briser avec la tradition, afin de tourner toute son attention vers la violence ? Telle est la question. L'avez-vous comprise ? Il y a le fait que je suis violent et il y a la tradition qui prétend que je ne dois pas l'être. Et maintenant je vais observer, non pas la violence, mais seulement la tradition. Si elle intervient quand je me propose de porter mon attention vers la violence, pourquoi intervient-elle ? Que vient-elle faire là ? Pour le moment mon propos n'est pas de comprendre la violence, mais de comprendre l'intervention de la tradition. Vous avez compris ? J'accorde mon attention à ce *point-là*, et alors elle n'intervient plus. Donc je découvre pourquoi la tradition joue un rôle si important dans notre vie — la tradition étant

93

l'habitude. Que ce soit l'habitude de fumer ou de boire, ou une habitude sexuelle, ou une habitude dans ma façon de parler — pourquoi vivons-nous dans un monde d'habitudes? En sommes-nous conscients? Sommes-nous conscients de nos traditions? Si vous n'en êtes pas complètement conscients, si vous ne comprenez pas la tradition, l'habitude, la routine, alors forcément elles interviendront, elles percuteront l'objet que vous vous proposez de regarder. Il est facile de vivre dans nos habitudes, mais briser avec elles implique bien des choses — je pourrais perdre ma situation. Quand je me propose de briser ces habitudes j'ai peur, parce que vivre dans l'habitude donne un sentiment de sécurité, de certitude, parce qu'autour de moi tout le monde fait de même. Se dresser subitement dans un monde hollandais et dire: « Je ne suis pas un Hollandais » cela donne un choc. Et alors il y a la peur. Si vous dites: « Je suis contre tout cet ordre établi lequel est désordre », on vous rejettera; alors vous avez peur et vous acceptez. La tradition joue un rôle extraordinairement important dans notre vie. Avez-vous jamais essayé de manger un repas différent de celui auquel vous êtes habitué? Découvrez-le par vous-même et vous verrez comment votre estomac et votre langue se révolteront. Si vous avez l'habitude de fumer, vous continuez à fumer et vous passerez des années à lutter contre cette habitude.

Ainsi l'esprit trouve dans ses habitudes une certaine sécurité, disant: « Ma famille, mes enfants, mes meubles,

94

ma maison. » Et quand vous dites : « Mes meubles », vous *êtes* ces meubles. Vous riez, mais quand ce meuble particulier que vous aimez vous est enlevé, vous êtes en colère ; vous êtes ce meuble, cette maison, cet argent, ce drapeau. Mais vivre ainsi c'est vivre non seulement une vie bête et superficielle, mais vivre dans la routine et l'ennui. Et quand on vit dans la routine et l'ennui par force on a la violence.

Chapitre V

POURQUOI NE POUVONS-NOUS PAS VIVRE DANS LA PAIX?

La peur, comment elle surgit. Le temps et la pensée. L'attention: être en « éveil »

(Amsterdam, 10 mai 1969)

Il paraît étrange que nous ne puissions trouver une façon de vivre où il n'y ait ni conflit, ni souffrance, ni confusion, mais au contraire une abondance de joie et de bienveillance. Nous lisons des livres, œuvres d'intellectuels nous proposant des organisations économiques et morales de la société. Nous nous tournons aussi vers des ouvrages écrits par des théologiens, personnages religieux ayant leurs idées de prédilection et se complaisant à de nombreuses spéculations. Apparemment, il est difficile pour la plupart d'entre nous de découvrir une manière de vivre qui soit vivante, paisible, pleine d'énergie et de clarté et où l'on ne dépende pas d'autrui. Nous sommes censés être des gens mûris et sophistiqués. Ceux d'entre nous qui sommes plus âgés avons assisté à deux épouvantables guerres, à des révolutions, des soulèvements, et à la souffrance sous toutes ses formes. Et pourtant nous voici, par une belle matinée, parlant de toutes ces choses, attendant peut-être qu'on nous dise quoi faire, qu'on nous indique une façon pratique de vivre, de suivre quelqu'un qui nous donne une clef à la beauté de la vie et à une grandeur qui dépasse la routine quotidienne.

Je me demande — et vous aussi peut-être — pourquoi nous écoutons les autres. Pourquoi ne pouvons-nous pas trouver la clarté par nous-mêmes dans notre propre esprit, dans notre propre cœur, et sans aucune déformation ; pourquoi devons-nous être si encombrés de littérature ? Ne pouvons-nous pas vivre pleinement, sereinement, dans une grande extase et véritablement en paix ? Notre état de choses me paraît très étrange, mais il est ce qu'il est. N'avez-vous jamais considéré si vous ne pourriez pas vivre d'une vie complètement dépourvue d'efforts et de luttes ? Nous faisons sans cesse des efforts pour changer ceci, pour transformer cela, pour supprimer une chose, en accepter une autre, pour imiter, pour mettre en pratique certaines formules et certaines idées.

Je me demande si nous nous sommes jamais préoccupés de savoir s'il est possible de vivre sans conflit — non pas pour cela nous retrancher dans un isolement intellectuel ou dans une ambiance émotive, sentimentale et brouillonne. Mais au contraire de vivre sans aucun effort du tout. Parce que l'effort, si agréable (ou désagréable), si satisfaisant ou si profitable qu'il soit, fausse et déforme l'esprit. C'est comme une machine qui fonctionne tout le temps avec frottement et jamais tout uniment et qui, ainsi, se détruit rapidement par l'usure. Alors on se pose la question — et il me paraît qu'elle en vaut la peine — la question de savoir s'il est possible de vivre, tout effort étant éliminé, sans pour cela tomber dans la paresse, l'isolement, l'indifférence, l'insensitivité, la torpeur. Toute notre vie, depuis l'instant de notre naissance jusqu'à celui de notre mort, se passe dans une lutte interminable pour nous adapter, nous modifier, pour devenir quelque chose. Et cette lutte, ce conflit engendrent la confusion, émoussent l'esprit et nos cœurs deviennent insensibles.

Donc, est-il possible — non pas en tant qu'idée, ou comme une chose sans espoir, au-delà de notre portée — de découvrir une façon de vivre sans conflit, non seulement superficiellement mais encore dans les profondeurs de l'inconscient, dans la profondeur de nous-mêmes? Ce matin nous allons peut-être pouvoir pousser cette question très avant.

Et tout d'abord, pourquoi inventons-nous des conflits, agréables ou pénibles, et est-il possible d'y mettre fin? Pouvons-nous y mettre fin et vivre d'une vie entièrement différente, disposant de la plus grande énergie, la plus grande clarté, la plus grande vigueur intellectuelle, la raison, et avoir dans le cœur une abondance d'amour dans le vrai sens de ce mot? Il y a lieu, me semble-t-il, d'appliquer notre esprit et notre cœur à cette question, à nous en pénétrer complètement.

Le conflit existe évidemment en nous à cause de nos contradictions intérieures, lesquelles s'expriment extérieurement dans la société, dans les activités du « moi »

98

et du « non moi » ; autrement dit, du « moi » avec toutes ses ambitions, ses élans, ses recherches, ses plaisirs, ses anxiétés, sa haine, sa compétition, sa peur, et de l'« autre » qui est le « non moi ». En face de cela il y a cette idée d'une existence sans conflits, sans désirs, sans recherches, sans poussées contradictoires. En prenant conscience de notre état de tension, nous pouvons contempler tout le tableau en nous-mêmes, les crispations issues d'exigences contradictoires, de conscience, d'idées, de recherches opposées.

C'est cette dualité, cette opposition dans nos désirs, avec leurs craintes et leurs contradictions, qui entraînent le conflit. Il me semble que ceci est assez clair quand nous observons la chose en nous-mêmes. Ce thème se répète sans cesse, non seulement dans notre vie quotidienne, mais encore dans la vie religieuse — entre le paradis et l'enfer, le bien et le mal, le noble et l'ignoble, l'amour et la haine et ainsi de suite. Si je puis vous le suggérer, je vous en prie, ne vous contentez pas d'écouter les paroles, mais observez-vous vous-mêmes, sans analyser mais utilisant l'orateur comme un miroir dans lequel vous pouvez vous contempler réellement, prenant ainsi conscience du fonctionnement de votre esprit et de votre cœur, tandis que vous regardez dans ce miroir. On peut voir comment la division sous toutes ses formes, la séparation ou la contradiction en soi-même ou en dehors de soi-même, suscitent inévitablement un conflit entre la violence et la non-violence. Ayant constaté cet état de choses tel qu'il existe vraiment, est-il possible d'y mettre fin, non seulement au niveau superficiel de notre conscience, dans notre vie quotidienne, mais aussi très profondément aux racines mêmes de notre être, de sorte que n'existent plus aucune contradiction, plus d'exigences ou de désirs en opposition, plus d'activité de l'esprit dualiste? Comment faire? Nous cherchons toujours à jeter un pont entre le « moi » et le « non moi » — le « moi » avec ses ambitions, ses élans, ses contradictions, et le « non moi » qui est l'idéal, la formule, le concept. Nous cherchons toujours à jeter un pont entre ce qui est et ce qui devrait être; et par là, donnons naissance à un état de contradiction et de conflit où se perdent toutes nos énergies. Notre esprit peut-il cesser de diviser, ne peut-il pas demeurer complètement avec ce qui *est*? Et dans la compréhension de ce qui est, subsiste-t-il un conflit quelconque?

Je voudrais approfondir cette question, la voir sous un jour différent dans ses rapports avec la liberté et la crainte. La plupart d'entre nous avons soif de liberté, bien que nous vivions dans une activité égocentrique où nous passons nos journées penchés sur nous-mêmes, nos échecs, nos accomplissements. Nous voulons être libres — non seulement politiquement, ce qui est comparativement facile, à l'exception du monde des dictatures — mais libres aussi de toute propagande religieuse. Toute religion, ancienne ou moderne, est l'œuvre de propagandistes et n'est par conséquent pas une religion. Plus on

100

est sérieux, plus on s'intéresse à la qualité de notre vie, plus on recherche la vérité et plus on met en doute sans accepter, sans croire. On veut être libre dans le but de découvrir si la réalité existe, s'il existe quelque chose d'éternel, d'intemporel ou non. Il y a cet extraordinaire besoin d'être libre dans tous nos rapports. Mais en général cette liberté devient un processus d'auto-isolement et n'est par conséquent pas la vraie liberté.

Même notre besoin de liberté est empreint de peur. Parce que celle-ci peut signifier une insécurité complète et absolue, et cette insécurité nous paraît redoutable. Elle nous semble être une chose très dangereuse — chaque enfant aspire à la sécurité dans ses rapports avec l'extérieur. Et à mesure que nous vieillissons nous continuons à aspirer à la sécurité, à la certitude dans tous nos rapports avec les objets, les gens et les idées. Ce besoin de sécurité engendre inévitablement la peur et, ayant peur, nous dépendons de plus en plus des choses auxquelles nous sommes attachés. C'est ainsi que surgit la question de la liberté et de la peur, et on se demande s'il est le moins du monde possible d'être affranchi de cette peur, non seulement physiquement mais psychologiquement, non pas superficiellement mais encore dans les recoins les plus obscurs et les plus profonds de notre âme, dans ces mêmes recoins secrets qui n'ont jamais été pénétrés. L'esprit peut-il être entièrement et complètement affranchi de toute angoisse? C'est la peur qui détruit l'amour — ceci n'est pas une théorie — c'est elle qui facilite l'anxiété, l'attachement, la possessivité, la domination, la jalousie dans tous nos rapports, et c'est elle qui provoque la violence. Comme on peut l'observer dans les villes surpeuplées avec leur explosion démographique, il y a une grande insécurité, une grande incertitude, une grande anxiété. C'est là en partie ce qui pousse à la violence. Pourrons-nous nous en affranchir de façon à quitter cette salle et à en sortir sans que subsiste cette ombre, cette obscurité qui accompagne la peur?

Pour la comprendre, il nous faut examiner non seulement les peurs physiques mais encore le vaste enchevêtrement des peurs psychologiques. C'est un point que nous allons pouvoir approfondir quelque peu. Notre question est : comment la peur surgit-elle? Qu'est-ce qui l'entretient, qui la prolonge, et est-il possible d'y mettre fin? Les anxiétés physiques sont assez faciles à comprendre. Il y a une réaction immédiate à un danger physique et cette réaction est due à de nombreux siècles de conditionnement, parce que sans cela il n'y aurait aucune survie physique, la vie aurait pris fin. Physiquement il faut survivre et une tradition millénaire nous dit « attention », la mémoire dit « attention il y a danger, agissez tout de suite ». Mais cette réaction visible au danger est-elle vraiment de la peur?

Je vous en prie, suivez tout ceci soigneusement parce que, bien que nous ayons à approfondir quelque chose d'assez simple mais qui est tout de même suffisamment compliqué, si vous n'y prêtez pas votre attention tout entière nous n'allons pas comprendre. Nous demandons si cette réaction physique, sensorielle au danger, qui pousse à une action immédiate, si c'est de la peur? N'est-ce pas plutôt de l'intelligence et par conséquent cela n'est pas de la peur? Or, l'intelligence est-elle une affaire de tradition et de mémoire? Et si oui, pourquoi n'agit-elle pas d'une façon complète, comme elle le devrait, dans le champ psychologique où nous sommes si affreusement terrifiés par tant de choses? Pourquoi cette même intelligence qui agit lors de l'observation du danger physique, n'agit-elle plus quand nos angoisses sont psychologiques? Cette intelligence physique n'est-elle pas applicable à la nature psychologique de l'homme? Autrement dit, il y a des peurs de diverses sortes que nous connaissons tous — peur de la mort, de l'obscurité, de ce que pourrait dire notre mari ou notre femme, ou ce que peut penser le voisin ou le patron — tout un enchevêtrement d'angoisses. Nous n'allons pas entrer dans les détails de ses diverses formes; l'objet de notre examen c'est la peur elle-même et non pas telle ou telle peur particulière. Et quand elle existe et que nous en prenons conscience, il y a un mouvement qui nous pousse à l'éviter, à la supprimer, à la fuir, à l'ignorer grâce à différentes formes de divertissements, des distractions religieuses, ou encore en développant en nous le courage qui est une résistance à la peur. Evasion, distraction et courage sont toutes des formes différentes de résistance devant le fait immédiat de la peur.

103

Plus elle est grande, plus la résistance est intense et ainsi certaines activités névrotiques sont mises en branle. Quand elle est là, l'esprit — ou le « moi » — dit : « il ne faut pas qu'il y ait de peur », et nous voilà dans la dualité. Il y a un « moi » qui est autre chose que la peur, qui s'en évade, qui y résiste, qui cultive son énergie, dévide des théories ou va trouver un psychanalyste ; et puis il y a le « non moi » ! Le « non moi » c'est la peur ; et le « moi » est maintenu séparé d'elle. Il y a donc un conflit immédiat entre la peur et le « moi » qui cherche à s'en rendre maître. Il y a l'observateur et la chose observée. La chose observée étant la peur et l'observateur étant le « moi » qui se propose de s'en débarrasser. Il y a donc une opposition, une contradiction, une séparation et par conséquent un conflit entre la peur et le « moi » qui veut l'annihiler. Est-ce que nous communiquons l'un avec l'autre ?

Donc, il y a le problème de ce conflit entre le « non moi » qui est la peur et le « moi » qui pense en être différent et qui veut y résister, qui cherche à la dominer, à s'en évader, à la supprimer ou à la maîtriser. Cette division entraînera invariablement un état de conflit, comme il arrive pour les nations avec leurs armées, leurs marines et leurs gouvernements souvent différents.

Il y a donc l'observateur et la chose observée — l'observateur qui dit : « Il me faut me débarrasser de cette chose affreuse, il faut absolument que je la détruise. » L'observateur est toujours à lutter, il est devant un état de conflit. Ceci est devenu pour nous une habitude, une tradition, un conditionnement. Et c'est une des choses les plus difficiles au monde que de briser aucune habitude, parce que nous nous complaisons à vivre dans nos routines, fumant, buvant, nous abandonnant à des habitudes sexuelles ou psychologiques ; et il en va de même pour les nations, les gouvernements souverains qui disent « mon pays et votre pays », « mon Dieu et votre Dieu », « ma croyance et votre croyance ». Il est dans notre tradition de combattre, de résister à la peur et par conséquent d'intensifier le conflit et de vitaliser nos angoisses.

Si ceci est bien clair, nous pouvons alors envisager la prochaine question que voici : y a-t-il une différence réelle entre l'observateur et la chose observée, dans ce cas particulier ? L'observateur se figure être autre chose que la chose observée, c'est-à-dire la peur. Y a-t-il vraiment une différence entre lui et la chose qu'il observe ou ne sont-ils pas tous deux une seule et même chose ? Très évidemment ils sont une seule et même chose. L'observateur *est* la chose observée — si quelque chose d'entièrement neuf se présente il n'y a plus d'observateur du tout. Mais du fait que l'observateur reconnaît sa propre réaction comme étant la peur, qu'il a connue auparavant, il y a division. Aussi, si vous voulez comprendre la chose à fond vous découvrirez par vous-même — j'espère que vous le faites — que l'observateur et la chose observée essentiellement ne font qu'un. Et par conséquent, s'ils sont la même chose, vous éliminez la contradiction, le « moi » et le « non moi », et en même temps vous balayez totalement toute sorte d'effort. Toutefois ceci ne veut pas dire que vous acceptez la peur, ni que vous vous identifiez à elle.

Il y a donc la peur, la chose observée et l'observateur qui en fait partie. Que faire alors ? (Travaillez-vous aussi dur que l'orateur ? Si vous vous contentez d'écouter ses paroles, je crains bien que jamais vous ne puissiez résoudre cette question). Il n'y a donc plus que la peur — et non plus l'observateur qui la regarde, parce que l'observateur *est* la peur. Il se passe alors bien des choses mais, tout d'abord, qu'est-ce que la peur et comment se produit-elle ? Nous ne parlons pas de ses résultats, ni de sa cause, ni de la façon dont elle obscurcit notre vie avec sa laideur et sa souffrance. Mais nous nous demandons ce qu'elle est et comment elle se produit. Devons-nous pour cela l'analyser constamment afin de découvrir ses innombrables causes ? Parce que dès l'instant où vous vous mettez à analyser, l'analyseur doit être extraordinairement dégagé de tout préjugé, de tout conditionnement, il lui faut regarder et observer. Autrement s'il existe une sorte de déformation dans son jugement, cette déformation ne cesse de croître à mesure qu'il poursuit son analyse.

Donc, analyser dans le but de mettre fin à la peur n'y met pas fin, bien au contraire. J'espère qu'il y a ici des psychanalystes ! Parce qu'en découvrant sa cause et en agissant à la suite d'une telle découverte, la cause devient l'effet et l'effet devient la cause. L'effet et toute action sur cet effet poursuivie dans le but de découvrir la cause, la découverte de la cause et l'action qui se poursuit conformément à cette cause, nous place dans la situation suivante. C'est une chaîne ininterrompue d'effets et de causes. Si nous rejetons cette compréhension de la cause et de son analyse, que nous reste-t-il à faire?

Voyez-vous, ce n'est pas ici un amusement mais il y a pourtant une grande joie dans la découverte, une grande satisfaction à comprendre tout ceci. Donc, qu'est-ce qui crée la peur? Elle est engendrée par le temps et la pensée — le temps: hier, aujourd'hui et demain; on a peur que quelque chose ne se passe demain, une perte de situation, une mort, la fuite de la femme ou du mari, on a peur que la souffrance et la maladie que j'ai connues jadis, il y a longtemps, ne se reproduisent. C'est ici qu'intervient le temps; le temps comprenant ce que mon voisin peut dire de moi demain, ou bien le temps qui jusqu'ici a dissimulé une chose que j'ai pu faire il y a bien des années. Je redoute certains désirs profonds, des désirs qui pourraient ne pas recevoir d'accomplissement (donc dans la peur, le temps joue un rôle). La crainte de la mort qui se produit à la fin de la vie, qui peut-être se cache au coin de la rue, et j'en ai peur. Par conséquent, le temps implique la pensée et la peur. S'il n'y a pas de temps, il n'y a pas de pensée. Et quand je m'attarde à penser à ce qui s'est passé hier, dans la crainte que j'ai de le voir se reproduire demain — ceci implique le temps aussi bien que la peur.

107

Je vous en prie, observez ceci, regardez par vous-même — n'acceptez, ne rejetez rien ; mais écoutez, découvrez par vous-même la vérité de la chose et non pas simplement les paroles, ne vous demandez pas si vous êtes d'accord ou non, mais allez de l'avant. Pour discerner la vérité il vous faut le sentiment, la passion de découvrir et une grande énergie. Vous vous apercevrez alors que la pensée engendre la peur ; penser au passé ou à l'avenir — l'avenir pouvant être la minute qui suit ou le lendemain ou dans dix ans — en y pensant vous en faites un événement. Et penser à un événement qui vous a été agréable hier, le maintient, le prolonge, que ce plaisir soit sexuel, sensoriel, intellectuel ou psychologique ; en y pensant, en construisant une image comme le font la plupart des gens, vous donnez à cet événement passé une continuité due à cette pensée et qui engendre un nouveau plaisir.

Mais la pensée donne naissance à la peur aussi bien qu'au plaisir ; tous deux appartiennent au domaine du temps. C'est ainsi que la pensée engendre cette monnaie à deux faces, le plaisir et la souffrance, qui est peur. Alors que faire ? Nous révérons la pensée. Elle a pris pour nous une importance telle que nous nous figurons que plus elle est rusée, le mieux cela vaut. Dans le monde des affaires, le monde religieux, le monde de la famille, l'intellectuel utilise la pensée, il se complaît à manipuler cette monnaie, à tresser une couronne de paroles. Combien nous honorons ces gens qui sont verbalement et intellectuellement habiles en pensée ! Et pourtant c'est celle-ci qui est responsable de la peur et de cette chose que nous appelons le plaisir.

Nous ne prétendons pas qu'il faille se priver de plaisir. Nous ne tombons pas dans le puritanisme, nous cherchons à le comprendre, et dans la compréhension même de ce processus, la peur prend fin. Vous verrez alors que le plaisir est quelque chose d'entièrement différent, et c'est une chose que nous approfondirons si nous en avons le temps. C'est donc la pensée qui est responsable de ces tourments — une face est tourmentée, l'autre est plaisir et prolongation du plaisir ; ce besoin, cette recherche du plaisir, s'adressent à des plaisirs de toutes sortes, le plaisir religieux compris. Alors que faire avec notre pensée ? Peut-elle prendre fin ? Est-ce là une question juste ? Qui doit y mettre fin ? — est-ce un « moi » qui ne serait pas pensée ? Mais ce « moi » est le résultat de la pensée. Et par conséquent vous retombez dans le même vieux problème ; le « moi » et le « non moi », l'observateur qui dit : « Si seulement je pouvais mettre fin à la pensée, je vivrais une vie différente. » Mais en tout cela il n'y a rien d'autre que la pensée, il n'y a pas le penseur qui dit : « Je veux mettre fin à la pensée », parce que l'observateur est le résultat de la pensée.

Et comment celle-ci prend-elle naissance ? Il est facile de voir que c'est une réaction de la mémoire, de l'expérience, du savoir qui est le cerveau, le siège de la mémoire. Quand on lui demande quelque chose, il répond par une réaction qui est à la fois mémoire et reconnaissance. Le cerveau est le résultat de millénaires d'évolution et de conditionnement — la pensée est toujours vieille, elle n'est jamais libre, elle est une réaction du conditionnement tout entier.

Dès lors que faire? Quand la pensée se rend compte qu'elle ne peut absolument rien sur la peur parce que c'est elle qui la crée, alors il y a silence; il y a la négation complète de tout mouvement qui puisse engendrer la peur. Alors l'esprit, cerveau compris, observe tout ce phénomène de l'habitude, de la contradiction et de la lutte entre le « moi » et le « non moi ». Il se rend compte que l'observateur est la chose observée. Et, voyant que la peur ne peut pas être simplement analysée et mise de côté, mais qu'elle sera toujours là, l'esprit se rend compte aussi que l'analyse ne mène à rien. Et alors on demande : quelle est l'origine de la peur? Comment prend-elle naissance?

Nous avons dit qu'elle doit sa naissance au temps et à la pensée. La pensée est une réaction de la mémoire et ainsi elle engendre la peur. Celle-ci ne peut pas prendre fin par un simple contrôle ou une suppression de la pensée, inutile de faire des efforts pour la transformer ou de se complaire à toutes sortes de procédés que l'on emploie contre soi-même. Voyant tout ce tableau étalé devant soi, le voyant sans jugement, choix ou censure, la pensée elle-même dit : « Je vais rester tranquille, sans aucun contrôle, sans aucune censure, je vais être immobile, silencieuse. »

Et ainsi il y a la fin de la peur, ce qui veut dire la fin de la souffrance, la compréhension de soi-même. Faute de se connaître soi-même il n'y a pas de fin à la souffrance et à la peur. Seul un esprit affranchi de la peur peut faire face à la réalité.

Peut-être voudrez-vous maintenant poser des questions. Il faut poser des questions — s'exposer ainsi soi-même à soi-même est nécessaire, nécessaire ici et nécessaire aussi quand vous êtes seul dans votre chambre, dans votre jardin, assis tranquillement dans l'autobus ou en vous promenant — il vous faut poser des questions afin de découvrir. Mais il faut poser la question juste, et la question juste elle-même comprend la réponse juste.

Question. — S'accepter soi-même, sa propre souffrance, sa propre douleur, est-ce là la chose à faire?

Réponse. — Comment peut-on s'accepter soi-même? Vous voulez dire que vous allez accepter votre laideur, votre brutalité, votre violence, votre prétention, vos hypocrisies? Pouvez-vous accepter tout cela? Ne désirez-vous pas changer? — En fait, ne faut-il pas que nous changions tout ceci? Comment pouvons-nous accepter l'ordre établi de la société avec sa moralité qui est immoralité? La vie n'est-elle pas un mouvement constant de changement? Quand on vit il n'est pas question d'accepter, il n'y a que le fait de vivre. Nous vivons dès lors avec le mouvement de la vie et celui-ci exige un changement, une révolution psychologique, une mutation.

111

Question. — Je ne comprends pas.

Réponse. — Je regrette. Peut-être, en vous servant du mot « accepter » n'avez-vous pas réalisé qu'en anglais courant cela signifie accepter les choses telles qu'elles sont. Peut-être désireriez-vous vous exprimer en hollandais.

Question. — Accepter les choses comme elles viennent.

Réponse. — Vais-je accepter les choses comme elles viennent, mettons quand ma femme me quitte? Quand je perds mon argent, quand je perds ma situation, quand je suis méprisé, insulté, vais-je accepter toutes ces choses comme elles viennent? Vais-je accepter la guerre? Pour prendre les choses comme elles viennent, pour le faire vraiment et non pas théoriquement, il faut être libéré du « moi », du « je ». Et c'est de cela que nous avons parlé ce matin, de vider l'esprit du « moi », du « vous », du « eux », du « nous ». Alors vous pouvez vivre d'instant en instant, sans fin, sans lutte, sans conflit. Mais cela c'est la véritable méditation, la véritable action, et non pas le conflit, la brutalité et la violence.

Question. — Il nous faut penser; c'est inévitable.

Réponse. — Oui, monsieur, je comprends. Vous ne suggérez pas que nous ne pensions pas du tout? Pour faire un métier il vous faut penser, pour aller chez vous il vous faut penser; il y a la communication verbale, résultat de la pensée. Donc quel est le rôle de la pensée dans la vie? La pensée doit forcément agir quand vous faites quelque chose. Suivez ceci, s'il vous plaît. Pour accom-

112

plir n'importe quelle besogne technique, pour fonctionner comme le fait un ordinateur — même si c'est avec
moins de compétence — il faut de la pensée. Penser clairement, objectivement, et non pas émotivement, sans
préjugé, sans opinion; la pensée est nécessaire si l'on
veut agir avec clarté. Mais nous savons aussi que la pensée
donne naissance à la peur, et que cette peur elle-même
nous empêchera d'agir avec efficacité. Sommes-nous donc
capables d'agir sans peur quand la pensée est de mise,
et de rester dans le calme quand elle ne l'est pas? Vous
comprenez? Peut-on avoir un esprit et un cœur qui com-
prennent tout ce processus de la peur, du plaisir, de la
pensée et du silence de l'esprit? Peut-on agir avec la
pensée quand c'est nécessaire et ne pas l'utiliser quand
elle ne l'est pas? Ceci est assez simple, n'est-il pas vrai?
Autrement dit, l'esprit peut-il être complètement attentif,
de sorte que, quand il est éveillé il agira et pensera si
c'est nécessaire et demeurera éveillé au cours de cette
action; sans pour cela s'endormir, ni agir mécaniquement.

La question, par conséquent, n'est pas de savoir si
nous devons penser ou non, mais comment rester éveillés.
Pour rester éveillés il nous faut avoir cette profonde
compréhension de la pensée, de la peur, de l'amour, de
la haine, de la solitude; il nous faut être complètement
engagés dans cette façon de vivre tels que nous sommes,
mais il faut comprendre d'une façon complète. On ne
peut la comprendre profondément que quand l'esprit est
totalement éveillé, sans aucune déformation.

113

Question. — Prétendez-vous dire que devant le danger on réagit tout simplement à partir de son expérience?

Réponse. — N'est-ce pas là ce que vous faites? Quand vous voyez un animal dangereux, n'est-ce pas par votre mémoire que vous réagissez, par votre expérience — ce n'est peut-être pas votre expérience personnelle mais l'héritage racial qui vous dit : « attention ».

Question. — C'est bien l'idée que j'en avais.

Réponse. — Mais pourquoi n'agissons-nous pas avec la même efficacité quand il s'agit de voir le danger du nationalisme, de la guerre, des gouvernements séparés avec leurs droits souverains et leurs armées? Ce sont là les choses les plus dangereuses, pourquoi ne réagissons-nous pas, pourquoi ne disons-nous pas : « Mais changeons donc tout cela »? Cela signifie que vous vous changez vous-même, cet être qui vous est connu — sachant que vous n'appartenez à aucune nation, à aucun drapeau, à aucune région, à aucune religion, étant par conséquent un être humain libre. Mais ce n'est pas là ce que nous faisons. Nous réagissons aux dangers physiques mais non aux dangers psychologiques, qui sont beaucoup plus dévastateurs. Nous acceptons les choses telles qu'elles sont ou nous nous révoltons contre elles pour tendre vers quelque utopie de notre cru, ce qui revient à la même chose. Voir un danger intérieurement et le voir extérieurement, c'est la même chose, il s'agit de rester éveillé — c'est-à-dire intelligent et sensitif.

CHAPITRE VI

LA VIE: TOTALITÉ

La passion de comprendre: passion sans mobile

(Amsterdam, 11 mai 1969)

On s'étonne du manque de passion des êtres humains dans le monde entier. Ils ont soif de puissance, de situations sociales, de divertissements variés: religieux, sexuels et autres, ils sont esclaves d'autres formes de soif. Mais, apparemment, rares sont ceux qui connaissent cette profonde passion tournée vers la compréhension du mouvement de l'existence dans sa totalité, ceux qui ne consacrent pas toute leur énergie à des activités fragmentaires. Le directeur de banque s'intéresse intensément à ses affaires bancaires, l'artiste et le savant se consacrent à leurs intérêts particuliers, mais c'est apparemment une des choses les plus difficiles que de ressentir le désir passionné, intense et durable de comprendre la vie dans sa totalité.

S'agissant d'approfondir cette question de la compréhension totale du processus de vivre, aimer et mourir, nous aurons besoin non seulement d'une efficacité intellectuelle, de sentiments vigoureux, mais bien plus encore d'une grande énergie que seule peut donner la passion. Nous nous trouvons devant un problème immense, compliqué, subtil et profond, il faudra consacrer notre attention tout entière — et c'est bien là ce qu'est la passion — afin de voir et de découvrir par nous-mêmes s'il existe une façon de vivre en tous points différente de notre mode actuel. Pour comprendre tout ceci il faut examiner diverses questions, le processus de la conscience à la fois en surface et dans les couches les plus profondes de la psyché; nous aurons aussi à nous préoccuper de la nature de l'ordre; non seulement l'ordre extérieur et social, mais l'ordre intérieur.

Nous aurons à découvrir la signification de la vie, ne lui accordant pas seulement une portée intellectuelle, mais en regardant ce que cela signifie que de vivre. Nous devrons aussi approfondir la question de savoir ce que c'est que l'amour, et ce que cela signifie de mourir. Ces choses doivent être examinées au niveau du conscient et dans les recoins les plus profonds, les plus cachés de l'esprit. Demandons-nous aussi ce que c'est que l'ordre, ce que cela signifie vraiment que de vivre, et si on est capable de mener une vie pleine d'un amour, d'une tendresse, d'une compassion, d'une affection entière et totale. Il faut aussi découvrir par soi-même le sens de cette chose extraordinaire que nous nommons la mort.

Ces choses ne sont pas des fragments, elles sont un mouvement total, la totalité de la vie. Nous ne pourrons jamais comprendre si nous divisons la question en vivre,

aimer et mourir — il s'agit d'un seul et unique mouvement. Pour comprendre ce processus de totalité, il faut
qu'il y ait énergie, non seulement une énergie intellectuelle mais une énergie résultant d'un sentiment intense,
ce qui implique une passion sans mobile et qui, de ce
fait, brûle constamment en vous. Nos esprits étant morcelés, nous devrons approfondir cette question du conscient et de l'inconscient, parce que c'est *là* que toute
division — le « moi » et le « non moi », le « vous » et le
« moi », le « nous » et le « eux » — commence. Tant
qu'existera ce cloisonnement — les nations, les familles,
les religions avec leurs influences possessives isolées —
il y aura inévitablement des divisions dans la vie. Il
y aura la vie quotidienne, son ennui, sa routine et puis
ce que nous appelons l'amour, amour contaminé par la
jalousie, la possessivité, la dépendance, la domination,
il y aura la peur et l'inévitable mort. Allons-nous pouvoir
approfondir cette question avec sérieux, non pas théoriquement ni verbalement, mais la creuser véritablement,
regardant en nous-mêmes, nous demandant pourquoi
existe ce morcellement, cause de tant de souffrances, de
confusions, de conflits?

On peut observer très clairement en soi-même les
activités de l'esprit superficiel préoccupé de vie quotidienne et de connaissances techniques, scientifiques et
acquisitives. On peut se voir dans son bureau plein de
l'esprit de compétition, on peut voir le fonctionnement
superficiel de son propre esprit. Mais il y a des recoins

cachés qui n'ont jamais été explorés parce que nous ne savons pas comment nous y prendre. Quand nous nous proposons de les dévoiler à la lumière d'une compréhension claire, ou bien nous lisons des livres qui traitent de tels sujets, ou bien nous nous mettons à la recherche d'un psychanalyste ou d'un philosophe. Nous ne savons pas comment regarder les choses par nous-mêmes; même si nous sommes capables d'observer l'activité extérieure et superficielle de la vie, nous sommes apparemment incapables de pénétrer dans cette caverne profonde et cachée où se dissimule la totalité du passé. L'esprit conscient avec toutes ses affirmations et ses exigences positives est-il capable de pénétrer dans les couches profondes de notre être? Je ne sais pas si vous avez jamais essayé, mais si vous l'avez fait dans un esprit suffisamment persistant et sérieux, vous aurez découvert par vous-même le vaste contenu du passé, l'héritage racial, le dogmatisme religieux, les divisions; tout est là, caché. Une opinion émise en passant jaillit de toute cette accumulation du passé, laquelle est basée essentiellement sur nos expériences, notre savoir de jadis et toutes les formes diverses de conclusions et d'opinions qui peuvent en résulter. L'esprit peut-il contempler tout ceci, le comprendre, le transcender, de sorte qu'il n'y ait plus aucune division?

Ceci est important, parce que nous sommes tellement conditionnés à considérer la vie d'une façon fragmentaire. Tant que persiste cette fragmentation, il y a une soif d'accomplissement — le « moi » désirant s'accomplir,

118

aboutir, concurrencer, être ambitieux. C'est cet aspect fragmentaire de la vie qui nous rend à la fois individualistes et collectifs, centrés sur nous-mêmes et ressentant néanmoins le besoin de nous identifier avec quelque chose de plus grand, tout en restant séparés. C'est cette division profonde qui régit notre conscience, qui fait partie de toute la structure et de toute la nature de notre être, c'est elle qui favorise le cloisonnement de nos activités, de nos pensées et de nos sentiments. C'est ainsi que nous morcelons la vie, que nous morcelons ces choses que l'on appelle aimer et mourir.

Est-il possible d'observer le mouvement du passé qui est l'inconscient? — si toutefois nous pouvons nous servir de ce mot « inconscient » sans lui donner une signification psychanalytique spécialisée. Les profondeurs de l'inconscient sont le passé, et c'est à partir de lui que nous agissons. Ainsi s'établit cette division entre le passé, le présent et l'avenir — qui constituent le temps.

Tout ceci peut paraître assez compliqué, mais il n'en est rien — en réalité c'est très simple si l'on est capable de regarder en soi-même, de s'observer en action, d'observer le fonctionnement de nos opinions, de nos pensées, de nos conclusions. Quand vous vous regardez avec un certain esprit critique, vous pouvez constater que vos actions sont basées sur des modèles, des formules, ou des conclusions nées dans le passé, lesquelles se projettent dans l'avenir sous forme d'idéal, un idéal à partir duquel vous allez agir désormais. Ainsi c'est toujours le passé qui opère avec ses motifs, ses conclusions, ses formules; et ainsi le cœur et l'esprit sont lourdement « chargés » par des souvenirs qui donnent à nos vies leurs formes particulières et entraînent le morcellement.

La question se pose donc de savoir si l'esprit conscient est capable de pénétrer l'inconscient assez à fond pour nous permettre de comprendre la totalité de son contenu, à savoir le passé. Ceci exige une capacité critique — non un esprit obstinément critique — il faut que nous soyons en éveil. Quand on est véritablement éveillé, cette division de la conscience globale prend fin. Cette lucidité n'est possible que quand existe une prise de conscience de soi-même dans un esprit critique et dépourvu de tout jugement personnel.

Observer signifie être critique — ne pas utiliser un esprit critique basé sur des jugements, des opinions, mais être en observation, en éveil avec un esprit critique. Mais si cet esprit part d'un point de vue personnel, s'il est faussé par la peur ou par n'importe quel genre de préjugé, il cesse d'être véritablement critique et tombe dans la fragmentation.

Ce qui nous préoccupe aujourd'hui c'est de comprendre le processus dans sa totalité, la vie dans son ensemble, et non pas de nous préoccuper d'un fragment particulier. Il ne s'agit pas de savoir que faire à l'égard d'un problème particulier, d'une activité sociale distincte du processus de la vie dans son entier; mais nous nous efforçons de découvrir ce qu'implique la compréhension de la réalité et si même une telle réalité existe, une telle immensité, une telle éternité. C'est cette perception globale, totale — et aucune perception fragmentaire — que nous examinons. Cette compréhension du mouvement total de l'existence, vue comme une activité unique, n'est possible que lorsque dans notre conscience, les principes, les concepts, les idées, les divisions, « moi » et « non moi », ont pris fin. Si ceci est vu clairement — et j'espère bien que c'est le cas — nous pouvons aller de l'avant et découvrir ce que c'est que de vivre.

Pour nous, le fait de vivre est une activité positive — on agit, on réfléchit, on s'abandonne à un éternel tourbillon, à des conflits, à la peur, à la tristesse, à la culpabilité, à l'ambition, à la concurrence, la soif du plaisir avec sa conséquence inévitable de souffrance, de désirs de réussir. Tout cela nous l'appelons vivre. Et c'est bien là notre vie, coupée par des moments de joie passagère, des moments de compassion sans motif, de générosité gratuite. Rares sont les moments d'extase, de cette félicité qui ne connaît ni le passé ni l'avenir. Mais notre vie de bureau, nos colères, notre haine, notre mépris, nos hostilités, ce à quoi nous donnons le nom de vie quotidienne, nous jugeons que tout cela est extraordinairement positif.

Mais le seul positif véritable c'est la négation du positif. Nier cette soi-disant existence, qui est laide, solitaire, apeurée, brutale et violente, la nier sans rien connaître d'une autre existence, c'est l'action positive entre toutes. Sommes-nous en communication les uns avec les autres? Voyez-vous, c'est être hautement moral que de rejeter complètement la moralité conventionnelle, parce que, ce que nous appelons la moralité sociale, la moralité de la respectabilité, est complètement immoral; nous avons l'esprit compétitif, avide, envieux, nous cherchons toujours à n'en faire qu'à notre tête — vous savez comment nous nous comportons. Et nous appelons tout cela la moralité sociale; les gens religieux parlent d'une morale différente, mais leur vie, toutes leurs attitudes, la structure hiérarchique des organisations religieuses et de la croyance, tout cela est immoral. Rejeter tout cela n'est pas réagir, parce que quand vous réagissez, c'est une nouvelle façon d'être en désaccord et de le manifester par une résistance. Quand vous le rejetez parce que vous l'avez compris, alors surgit la moralité suprême.

Et de même, rejeter la moralité sociale, rejeter notre façon de vivre — nos petites vies mesquines, notre existence, notre vie intellectuelle, nos satisfactions superficielles obtenues par l'accumulation de biens — rejeter tout cela non pas par réaction, mais parce que nous en avons vu la complète stupidité et tout ce que cette façon de vivre a de destructeur; rejeter tout cela c'est vivre. Voir le faux comme étant faux — c'est la vérité.

Qu'est-ce alors que l'amour? Est-il plaisir? Est-il désir? L'amour est-il attachement, dépendance, possession de la personne que vous aimez et que vous dominez? Est-ce amour quand vous dites: « Ceci est à moi et pas

122

à vous, cela m'appartient, j'ai des droits sexuels » — qui impliquent jalousie, haine, colère, violence? Et puis encore, on a partagé l'amour en sacré et profane, c'est une partie de notre conditionnement religieux; tout cela, est-ce de l'amour? Pouvez-vous aimer et être ambitieux? Pouvez-vous aimer votre mari, peut-il prétendre vous aimer s'il est ambitieux? Peut-il y avoir amour, là où il y a concurrence et lutte pour la réussite?

Rejeter tout cela, non seulement intellectuellement ou verbalement, mais le balayer de tout notre être, ne plus jamais être la proie d'aucune jalousie, d'aucune envie, d'aucune ambition, d'aucun désir de surclasser — rejeter tout cela c'est bien certainement de l'amour. Et ces deux façons d'agir ne peuvent jamais aller ensemble. L'homme qui est jaloux, la femme qui est dominatrice, ne savent pas ce que signifie l'amour — ils peuvent en parler, dormir ensemble, se posséder l'un l'autre, dépendre l'un de l'autre pour leur confort, leur sécurité, leur crainte de solitude, mais tout cela ce n'est certainement pas de l'amour. Si ceux qui prétendent aimer leurs enfants parlaient sérieusement, aurions-nous des guerres? Serions-nous divisés en nationalités — ces séparations existeraient-elles? Ce que nous appelons amour est torture, désespoir, sentiment de culpabilité. On identifie en général l'amour au plaisir sexuel. Nous ne voulons être ni prudes ni puritains, nous n'affirmons pas qu'il faut vivre sans plaisir. Quand vous regardez un nuage ou le ciel ou un beau visage, il y a une grande joie. Quand vous regardez une fleur il y a sa beauté — et nous ne rejetons pas la beauté. Mais la beauté n'est pas un plaisir issu de la pensée, c'est la pensée qui ajoute le plaisir à la beauté.

De même, quand nous aimons au cours de notre vie sexuelle, la pensée y surajoute le plaisir, l'image de ce qui a été, la répétition de cette expérience pour le lendemain. Cette répétition est plaisir, elle n'est pas beauté. La beauté, la tendresse, l'amour dans son sens complet n'excluent pas la sexualité. De nos jours tout est permis, le monde paraît avoir subitement découvert la vie sexuelle qui a pris une importance extraordinaire. C'est probablement pour l'homme l'unique évasion qui lui reste, l'unique liberté ; partout ailleurs il est bousculé, maltraité intellectuellement et émotivement, violé ; dans tous les sens du mot il est un esclave, il est brisé et le seul instant où il dispose d'une certaine liberté c'est au cours de l'expérience sexuelle. Et, dans ce moment de liberté, il trouve une certaine joie et il désire la voir se répéter. Et en tout ceci, où est l'amour ? Seul un esprit et un cœur plein d'amour sont capables de voir le mouvement de la vie dans sa totalité. Et dès lors quoi qu'il puisse faire, un homme qui connaît un tel amour est moral, il est vertueux, et tout ce qu'il fait est beau.

Quel est le rôle de l'ordre en tout ceci ? — Nous savons que notre vie est désordonnée et confuse. Tous, nous avons soif d'ordre, non seulement dans notre maison, mettant chaque chose à sa place, mais nous désirons également un ordre extérieur dans la société où règne une immense injustice sociale. Nous désirons aussi un ordre intérieur — il faut qu'il y ait un ordre profond, un ordre mathématique. Pouvons-nous établir un ordre en nous-mêmes en suivant un modèle que nous pensons être ordonné? S'il en était ainsi nous serions à comparer le modèle avec le fait, donnant ainsi naissance à un conflit. Ce conflit même n'est-il pas désordre? — et par conséquent il n'y a là aucune vertu. Quand un esprit lutte pour être vertueux, moral, éthique, il résiste et ce conflit même est désordre. Par conséquent, la vertu est l'essence même de l'ordre — bien que ce mot soit mal vu dans nos sociétés modernes. Une telle vertu ne prend pas naissance à la suite d'un conflit dans la pensée, mais seulement quand le désordre est aperçu d'une façon critique, par une intelligence en éveil, une intelligence qui se comprend elle-même. Là règne un ordre complet dans sa forme la plus élevée, et c'est bien la vertu. Et ceci ne peut avoir lieu que quand il y a amour.

Puis il y a la question de mourir, que nous avons avec grand soin éloignée de nous, quelque chose qui doit se passer dans l'avenir, dans cinquante ans ou demain. Nous avons peur de cesser d'exister physiquement et d'être séparés des choses que nous avons possédées, ressenties, et pour lesquelles nous avons travaillé — la femme, le mari, la maison, les meubles, le petit jardin, les livres et les poèmes que nous avons écrits ou que nous espérons écrire. Et vous avez peur de lâcher tout cela parce que vous *êtes* ce mobilier, vous *êtes* le tableau que vous pos-

125

sédez; quand vous êtes doués pour jouer du violon, vous êtes ce violon. En effet, nous nous sommes identifiés à toutes ces choses — nous sommes ces choses et rien d'autre. Avez-vous jamais regardé le monde sous ce jour? Vous êtes la maison — les volets, la chambre à coucher, le mobilier que vous avez entretenu pendant des années, que vous possédez — c'est là ce que vous êtes. Enlevez tout cela et vous n'êtes plus rien.

Et c'est de cela que vous avez peur — de n'être rien. N'est-il pas étrange de constater comment vous passez quarante années à travailler dans le même bureau et quand vous vous arrêtez vous avez une maladie de cœur et vous mourez. Vous êtes le bureau, les dossiers, le directeur ou l'employé, quelle que soit votre position; vous êtes cela et rien d'autre. Et puis vous avez d'innombrables idées sur Dieu, la bonté, la vérité, ce que devrait être la Société — et c'est tout. C'est là ce qui est triste. Se rendre compte par soi-même que l'on est cela, c'est une grande tristesse, mais la plus grande tristesse de tout c'est que vous ne vous en rendez pas compte. Le voir, voir ce que tout cela implique, c'est mourir.

La mort est inévitable, tous les organismes physiques doivent prendre fin. Mais nous avons peur de lâcher le passé. Nous sommes le passé, le temps, la souffrance et le désespoir, traversés d'une perception passagère de beauté, d'un épanouissement de bonté ou de tendresse profonde, impression passagère, et non durable. Ayant peur de la mort, nous disons: « Vais-je revivre? » —

126

autrement dit : « Vais-je prolonger la bataille, le conflit, la souffrance, la possession d'objets, l'expérience accumulée ? » L'Orient tout entier croit à la réincarnation. Vous aimeriez voir se réincarner ce que vous êtes ; mais vous êtes tout ceci, cette pagaille, cette confusion, ce désordre. La réincarnation implique que nous renaîtrons dans une autre vie ; par conséquent, ce que vous faites aujourd'hui a la plus grande importance, et non pas votre comportement dans votre prochaine vie — si cela existe. Si vous êtes destinés à renaître, ce qui importe c'est votre façon de vivre aujourd'hui, parce que c'est « aujourd'hui » qui va semer la graine de la beauté ou de la souffrance. Mais ceux qui croient à la réincarnation avec une telle ferveur n'ont pas idée de comment se comporter. S'ils étaient préoccupés de leur comportement, ils ne seraient pas si préoccupés de l'avenir, car la vertu c'est l'attention à aujourd'hui.

Mourir fait partie de vivre. Vous ne pouvez pas aimer sans mourir, mourir à tout ce qui n'est pas amour, mourir à tous les idéaux qui sont les projections de vos propres exigences, mourir au passé, à l'expérience, de façon à savoir ce que signifie l'amour, et par conséquent ce que cela signifie que de vivre. Et ainsi vivre, aimer et mourir sont une seule et même chose, c'est-à-dire vivre d'une façon complète maintenant. Alors il y a une action qui n'est pas contradictoire, entraînant la souffrance et la tristesse ; alors vivre, aimer et mourir sont action. Et cette action est ordre. Si nous vivons de cette façon-là

127

— comme nous devons le faire, non pas à des moments isolés mais tous les jours, et à chaque minute — alors nous connaîtrons l'ordre social, alors il y aura unité de l'humanité, les gouvernements s'appuieront sur le travail d'ordinateurs, et non pas sur les activités de politiciens mus par leur conditionnement et leurs ambitions personnelles.

Par conséquent vivre c'est aimer et mourir.

Question. — Peut-on être affranchi instantanément et vivre sans conflits ou cela va-t-il nous prendre du temps ?

Réponse. — Peut-on vivre immédiatement ayant rejeté le passé ou bien cela implique-t-il un certain temps ? Est-il besoin du temps pour se débarrasser du passé, et ceci nous empêche-t-il de vivre d'une façon immédiate ? Telle est la question. Le passé est comme une caverne cachée, une cave où vous tenez votre vin — si vous avez du vin. Faut-il du temps pour s'en affranchir ? Prendre du temps qu'est-ce que cela implique — c'est ce que nous faisons d'habitude. Je me dis : « J'y mettrai du temps, la vertu est une chose qu'il faut acquérir, à laquelle il faut s'exercer quotidiennement. Je vais me débarrasser de ma haine, de ma violence, lentement, graduellement. » C'est ainsi que nous nous y prenons habituellement, tel est notre conditionnement. Et nous nous demandons dès lors s'il est possible de rejeter tout le passé graduellement — en y mettant du temps. Autrement dit, en étant violent « je vais m'en débarrasser graduellement ». Qu'est-ce

128

que cela veut dire « graduellement », « pas à pas »? En attendant je suis violent. Cette idée de se débarrasser de la violence graduellement est une forme d'hypocrisie. Très évidemment, si je suis violent, je ne peux pas m'en débarrasser petit à petit, il faut en finir tout de suite. Puis-je mettre fin à des facteurs psychologiques immédiatement? Vous ne le pouvez pas, si vous acceptez cette idée de vous libérer du passé petit à petit. Mais ce qui importe c'est de voir le fait tel qu'il est maintenant, sans aucune déformation. Si je suis envieux et jaloux, il faut que je le voie par une observation totale, instantanée et non passagère. Je regarde ma jalousie — pourquoi suis-je jaloux? Parce que je me sens seul, la personne dont je dépendais m'a quitté et subitement je me trouve devant mon propre vide, mon isolement et de cela j'ai peur et, par conséquent, je dépends de vous. Et si vous vous détournez, je suis en colère, je suis jaloux. Le fait c'est que je me sens seul, j'ai besoin de compagnie, j'ai besoin de quelqu'un non seulement pour faire ma cuisine, pour me réconforter, pour me donner un plaisir sexuel et tout ce qui s'ensuit, mais parce que fondamentalement je suis seul. Et c'est pour cela que je suis jaloux. Suis-je capable de comprendre cette solitude instantanément? Je ne peux la comprendre que si je l'observe, si je ne la fuis pas — si je suis capable de la regarder, de l'observer pour la critiquer avec une intelligence éveillée, sans me chercher des excuses ou essayer de remplir mon vide ou de trouver un nouveau compagnon. Pour contempler tout

129

ceci il faut qu'il y ait liberté, et quand je suis libre de regarder, je suis affranchi de ma jalousie. Ainsi la perception, la totale observation de la jalousie et son affranchissement, ne sont pas une affaire de temps, mais d'attention totale, d'une lucidité critique, d'une observation dépourvue de choix tournée vers toutes les choses qui surgissent à mesure de leur apparition. Alors il y a libération, non pas dans l'avenir mais tout de suite, de ce que nous appelons la jalousie.

On pourrait en dire autant de la violence, de la colère, de toute autre habitude, que vous fumiez, que vous buviez, que vous abusiez de votre sexualité. Si nous les observons avec la plus grande attention, y accordant la totalité de notre cœur et de notre esprit, nous prenons conscience intelligemment de tout leur contenu; et il y a liberté. Quand cette prise de conscience lucide fonctionne, alors tout ce qui peut se produire — colère, jalousie, violence, brutalité, ombre légère de dissimulation, hostilité, toutes ces choses peuvent être observées instantanément et complètement. En ceci réside la liberté et ce qui fut cesse d'exister. Par conséquent, le passé ne peut pas être balayé avec le temps. Le temps n'est pas le chemin qui mène à la liberté. Cette idée d'une libération graduelle n'est-elle pas une certaine forme d'indolence, d'impuissance à agir instantanément quand elle surgit? Dès l'instant où vous avez cette faculté étonnante d'observer chaque chose clairement à mesure qu'elle se produit, quand vous donnez tout votre esprit et tout

130

votre cœur à cette observation, le passé cesse d'exister. Par conséquent, le temps et la pensée ne mettent pas fin au passé, parce que le temps et la pensée sont le passé.

Question. — La pensée est-elle un mouvement de l'esprit? La lucidité est-elle une fonction d'un esprit immobile?

Réponse. — Comme nous l'avons dit l'autre jour, la pensée est une réaction de la mémoire, comme un ordinateur où vous avez programmé toutes sortes de connaissances. Et quand vous êtes à la recherche d'une réponse, ce qui a été accumulé dans l'ordinateur répond. De la même manière l'esprit, le cerveau, sont le magasin du passé, de la mémoire, et quand un défi leur est adressé ils répondent par la pensée conformément à leurs connaissances, leurs expériences, leurs conditionnements et ainsi de suite. Ainsi la pensée est le mouvement, ou plutôt fait partie du mouvement de l'esprit et du cerveau. Le questionneur voudrait savoir si la lucidité est le silence de l'esprit? Etes-vous capable d'observer quoi que ce soit — un livre, votre femme, votre prochain, un politicien, un prêtre, un beau visage — sans qu'il s'ensuive aucun mouvement de l'esprit? Les images que vous avez de votre femme, de votre mari, de votre voisin, votre connaissance d'un nuage ou d'un plaisir, tout cela intervient, n'est-ce pas? Et dès qu'il y a intervention d'une image d'aucune espèce, subtile ou trop évidente, il n'y a plus d'observation, il n'y a plus de lucidité réelle et entière, il n'y a plus qu'une prise de conscience, une lucidité partielle. Pour qu'il y ait observation claire, il faut

131

qu'aucune image n'intervienne entre l'observateur et la chose observée. Quand vous observez un arbre, êtes-vous capable de le regarder sans qu'intervienne votre connaissance de cet arbre en termes botaniques, sans aucune connaissance du plaisir ou d'un certain désir en ce qui le concerne? Pouvez-vous le regarder si complètement que l'espace entre vous — l'observateur — et la chose observée disparaisse? Cela ne signifie pas que vous devenez l'arbre! Mais quand cet espace disparaît, l'observateur cesse d'exister, et ne demeure plus que l'objet. Dans une telle observation il y a perception, on voit la chose avec une vitalité extraordinaire, la couleur, la forme, la beauté d'une feuille ou du tronc; et quand le centre du « moi » qui observe n'existe pas, vous êtes en contact intime avec l'objet de votre observation.

Il y a un mouvement de la pensée qui fait partie du cerveau et de l'esprit, quand il y a une provocation à laquelle la pensée doit répondre. Mais pour découvrir quelque chose de neuf, quelque chose que l'on n'a encore jamais regardé, il faut qu'existe cette intense attention qui ne connaît aucun mouvement. Ceci n'est pas quelque chose de mystérieux ni d'occulte à quoi il faut s'exercer pendant des années et des années; cette optique est une complète sottise. Cela se produit quand entre deux pensées vous observez.

Vous savez comment a procédé l'homme qui a découvert l'avion à réaction? Comment c'est arrivé? Il savait tout ce qu'il y avait à savoir du moteur à combustion, il cherchait une autre méthode. Pour regarder il vous faut être silencieux; si vous emportez avec vous tout ce que vous savez sur le moteur à combustion, vous ne retrouverez jamais que ce que vous avez appris. Ce que vous avez appris doit rester en sommeil dans le calme — et dès lors vous découvrez quelque chose de neuf. De même pour voir votre femme, votre mari, l'arbre, le voisin, toute la structure sociale qui est désordre, il vous faut silencieusement trouver une nouvelle façon de regarder et par conséquent une nouvelle façon de vivre et d'agir.

Question. — Comment pouvous-nous trouver la force qu'il faut pour vivre sans théories ni idéaux?

Réponse. — Comment avez-vous la puissance de vivre *avec* eux? Où trouvez-vous cette extraordinaire énergie vous permettant de vivre avec ces formules, ces idéaux, ces théories? Vous vivez avec ces formules — où trouvez-vous l'énergie nécessaire? Cette énergie se dissipe incessamment dans le conflit. L'idéal est là-bas, vous êtes ici, et vous vous efforcez de vivre conformément à cela. Ainsi il s'établit une division, il y a conflit et c'est une perte d'énergie. Donc, quand vous apercevez le gaspillage d'énergie, l'absurdité qu'il y a à entretenir des idéaux, des formules, des concepts, donnant ainsi naissance à un état de conflit incessant — quand vous le voyez, vous avez l'énergie de vivre sans cela. Vous avez alors de la force en abondance, parce qu'il n'y a plus de déperdition d'énergie par le conflit. Mais voyez-vous, nous avons peur de vivre ainsi à cause de notre conditionnement. Et nous acceptons cette structure de formules et d'idéaux, comme l'ont fait d'autres avant nous. Nous vivons avec eux, nous acceptons le conflit comme une façon de vivre. Et quand nous voyons tout ceci, non pas verbalement ni théoriquement ni intellectuellement, mais quand nous ressentons de tout notre être l'absurdité qu'il y a à vivre ainsi, nous disposons de l'abondante énergie qui nous vient quand il n'y a pas de conflit du tout. A cet instant vous ne pouvez que faire face au fait et c'est tout. Il y a le fait que vous êtes avide, et non pas un idéal vous interdisant de l'être. C'est là une déperdition d'énergie, mais le fait est que vous êtes possessif, avide et dominateur. C'est là le fait unique, et quand vous y consacrez toute votre attention vous disposez de l'énergie qu'il faut pour le dissiper. Et par conséquent vous pouvez vivre librement sans aucun idéal, sans aucun principe, sans aucune croyance. Voilà ce que signifie mourir et vivre à toutes les choses du passé.

CHAPITRE VII

LA PEUR

Résistance — Energie et attention

(Paris, 13 avril 1969)

La plupart d'entre nous sommes esclaves de nos habitudes — physiques et psychologiques. Certains en ont conscience et d'autres non; or si l'on en a conscience est-il possible d'y mettre instantanément fin sans en porter le fardeau pendant de nombreux mois, de nombreuses années. Est-il possible d'y mettre fin sans aucune forme de lutte et de s'en débarrasser instantanément — l'habitude de fumer, un port de tête sujet à un tic, un sourire tout mécanique, enfin n'importe laquelle des nombreuses habitudes qui peuvent nous affliger? Prendre conscience de nos interminables et vains bavardages, de l'agitation de notre esprit — ceci peut-il être fait sans qu'il y ait résistance, contrainte, et ainsi en être quitte aisément, sans effort et instantanément? Ceci implique plusieurs choses: tout d'abord la compréhension que toute lutte entreprise contre quelque chose, contre une habitude particulière, donne naissance à une certaine résistance à l'égard de cette habitude; on peut voir aisément que

135

toute résistance d'aucune espèce engendre de nouveaux conflits. Si l'on prétend résister à une habitude, chercher à la supprimer, lutter contre elle, l'énergie qui est nécessaire pour la comprendre se perd dans cette lutte et cette contrainte. Ceci entraîne une deuxième constatation : on prend pour admis que le temps est chose nécessaire, que toute habitude doit être lentement usée, lentement supprimée, anéantie.

Ainsi d'une part, nous sommes faits à cette idée qu'il n'est possible de nous libérer d'aucune habitude que par une résistance, en développant une habitude contraire, et d'autre part à l'idée que nous ne pouvons le faire que graduellement en y mettant du temps. Voyons les choses de près : il me semble que toute forme de résistance favorise de nouveaux conflits, et que le temps étalé sur de nombreuses journées, de nombreuses semaines, de nombreuses années, ne détruit pas véritablement l'habitude ; et nous nous demandons s'il est possible d'y mettre fin sans élaborer une résistance mais instantanément, sans qu'il faille compter sur le temps.

Pour être libéré de la peur, point n'est besoin d'une résistance agissant pendant un certain laps de temps, mais il faut une énergie capable de l'aborder et de la dissoudre en un instant ; telle est l'attention ; elle est l'essence même de toute énergie. Accorder son attention signifie consacrer toute son intelligence, son cœur, son énergie physique, et avec cette énergie, prendre conscience, regarder en face cette habitude particulière ; vous

136

vous apercevrez alors qu'elle n'a plus de prise — elle disparaît instantanément.

On pourrait penser que nos différentes habitudes ne sont pas particulièrement importantes, on les a et tant pis; puis on leur trouve des excuses. Mais si nous pouvions établir une certaine qualité d'attention dans notre esprit, celui-ci ayant saisi le fait, la vérité, que l'énergie est attention et qu'elle est nécessaire quand il s'agit de dissoudre n'importe quelle habitude particulière, alors, ayant pris conscience d'une telle habitude, ou d'une certaine tradition, on s'aperçoit qu'elle disparaît instantanément.

On est peut-être habitué à parler d'une certaine façon, ou bien on se complaît à d'interminables bavardages inutiles; si l'on devient lucidement attentif, on dispose d'une extraordinaire énergie — une énergie qui n'est pas due à une résistance comme la plupart d'entre elles. Cette énergie de l'attention c'est la liberté.

Une fois qu'on a compris ceci très profondément, non en tant que théorie mais comme un fait que l'on a expérimenté, un fait qui a été saisi, dont on est pleinement conscient, on peut alors examiner toute la nature et la structure de la peur. Il faut se souvenir, en parlant de cette question assez compliquée, que toute communication verbale entre vous et l'orateur devient difficile si l'on n'écoute pas avec le soin et l'attention voulus, alors la communication n'est pas possible, elle prend fin. Si vous pensez à une chose et que l'orateur parle d'une autre, si vous êtes préoccupé par votre peur particulière et que vous êtes centré sur elle, toute communication verbale entre vous et l'orateur prend fin également. Pour communiquer verbalement, il faut qu'il y ait une certaine qualité d'attention comportant une sollicitude, une intensité, une urgence à vouloir comprendre cette question.

Plus importante que la communication est la communion. La communication est verbale, la communion nonverbale. Deux personnes qui se connaissent très bien peuvent, sans prononcer un mot, se comprendre complètement, immédiatement, parce qu'elles ont établi une certaine forme de relation entre elles. Quand nous parlons d'une question très compliquée telle que la peur, il faut qu'il y ait communion aussi bien que communication. Les deux peuvent aller de pair tout le temps, autrement nous ne travaillerons plus ensemble. Ayant établi tout ceci — chose nécessaire — tournons-nous vers cette question de la peur.

Il ne s'agit pas de vous affranchir *de* la peur. Dès l'instant où vous vous efforcez de vous en libérer, vous créez contre elle une résistance. Aucune forme de résistance n'y mettra fin — elle demeurera toujours, même si vous cherchez à vous en évader, à y résister, à la dominer, à la fuir et ainsi de suite, elle sera toujours là. Fuir, se dominer, supprimer, sont des formes de résistance; et la peur continue d'exister même si vous développez contre elle une force plus grande encore. Ne parlons donc pas d'être *affranchi* de la peur. Etre affranchi de quelque chose

138

n'est pas la liberté. Je vous en prie, comprenez ceci, parce qu'en approfondissant la question, si vous avez consacré toute votre attention à ce que l'on aura pu dire, il vous faudra quitter cette salle libéré de tout sentiment de peur. Telle est la seule question qui importe et non pas ce que l'orateur dit ou ne dit pas, ou si vous êtes d'accord ou non; ce qui est important c'est que l'on puisse psychologiquement et dans le tréfonds de son être, se débarrasser de la peur.

Donc, il ne s'agit pas d'en être affranchi ou d'y résister, il s'agit d'en comprendre la nature et la structure, *comprendre*; ceci veut dire apprendre à la connaître, l'observer, entrer avec elle en contact direct. Nous avons donc à apprendre à connaître la peur et non pas comment nous en évader, comment y résister par le courage et ainsi de suite. Nous sommes là pour apprendre à connaître. Que signifie pour vous ce mot « apprendre »? Assurément, il ne s'agit pas d'accumuler tout ce que nous savons sur la peur. Il serait inutile d'approfondir la question si ceci n'est pas parfaitement compris. Nous nous figurons qu'apprendre signifie accumuler n'importe quel savoir sur un sujet donné; ainsi, si l'on veut apprendre l'italien, il faut emmagasiner des mots et leur sens, la grammaire, et comment joindre les phrases entre elles et ainsi de suite; ayant accumulé des connaissances, on est capable de parler cette langue-là. Autrement dit, il y a accumulation de connaissances suivie d'action; par conséquent il faut du temps. Eh bien! nous prétendons qu'accumuler ainsi n'est pas apprendre. Apprendre est toujours dans le présent actif, il ne résulte pas d'un savoir accumulé; apprendre à connaître est un processus, une action qui appartient toujours au présent. La plupart d'entre nous sommes habitués à l'idée qu'il s'agit tout d'abord de rassembler des connaissances, des informations, de l'expérience et d'agir à partir de ce connu. Nous disons, nous, quelque chose d'entièrement différent. Le savoir appartient au passé et quand on agit c'est le passé qui détermine l'action. Nous disons que le fait d'apprendre accompagne l'action elle-même et que, par conséquent, il n'y a jamais accumulation, savoir.

Apprendre à connaître la peur est affaire du présent, c'est quelque chose de neuf. Si je l'aborde à partir de mon passé accumulé, à partir de mes souvenirs et de mes associations passées, je ne me trouve jamais face à face avec elle, et par conséquent je n'apprends rien à son sujet. Ceci je ne peux le faire que si mon esprit est neuf, plein de fraîcheur. Et c'est là notre difficulté parce que nous abordons toujours la peur ayant dans l'esprit les associations, les souvenirs, les incidents, les espérances, lesquels nous empêchent de la regarder d'une façon nouvelle et d'apprendre à la connaître d'instant en instant.

Nombreuses sont les peurs — peur de la mort, de l'obscurité, de perdre sa situation, du mari ou de la femme, de l'insécurité, la peur de ne pas s'accomplir, de ne pas être aimé, peur de la solitude, peur de ne pas réussir. Toutes ne sont-elles pas l'expression d'une peur centrale? Et nous nous demandons dès lors si nous examinons une peur particulière ou s'il s'agit d'aborder le fait lui-même?

Nous désirons comprendre la nature de la peur et non pas les modalités de ses expressions. Si nous pouvons considérer le fait central, nous pourrons alors résoudre ou agir sur les formes particulières. Donc, ne brandissez pas votre peur particulière pour dire : « Ceci je vais le résoudre », mais comprenez la nature et la structure de la peur en elle-même ; et vous pourrez dès lors vous tourner vers votre peur à vous.

Voyez l'importance pour l'esprit d'être dans un état entièrement dépourvu de toute espèce de peur. Parce qu'avec elle existe l'obscurité et l'esprit s'émousse, puis il recherche différentes évasions, différents stimulants, des distractions — que ce soit à l'église ou sur le terrain de football ou à la radio. Un tel esprit angoissé est incapable de clarté et ignore le sens du mot amour — il peut connaître le plaisir mais il ne connaît certainement pas ce que cela signifie que d'aimer. La peur est destructrice et elle enlaidit l'esprit.

Il y a la peur physique et la peur psychologique. Il y a la peur physique du danger — comme de rencontrer un serpent ou de se trouver devant un précipice. Celle-là, l'angoisse physique devant un danger, n'est-elle pas intelligence ? Il y a là un précipice — je le vois, je réagis immédiatement, je ne m'en approche pas. Mais cette peur n'est-elle pas intelligence, elle qui me dit :

« Attention, il y a un danger » ? Cette intelligence a été construite à travers les âges, d'autres sont tombés dans le précipice, ou bien ma mère ou mon ami a dit : « Attention ! ». Donc, dans cette expression physique de la peur, il y a la mémoire et l'intelligence qui agissent en même temps. Puis il y a l'appréhension d'une peur physique par laquelle on a passé : avoir une maladie cause de grandes souffrances ; ayant passé par cette souffrance, une souffrance purement physique, nous ne voulons pas la voir se répéter, et nous en avons une peur psychologique bien que la souffrance ne soit pas dans l'immédiat. Eh bien ! comment une telle peur psychologique peut-elle être comprise afin qu'elle ne prenne pas vraiment naissance ? J'ai souffert — la plupart d'entre nous avons souffert — c'est arrivé la semaine dernière ou bien il y a un an. La douleur était atroce, je ne veux pas la voir se répéter et j'ai peur qu'elle ne revienne. Que s'est-il passé ? Je vous en prie, suivez ceci soigneusement. Il y a le souvenir de cette souffrance et la pensée dit : « Qu'elle ne revienne pas, faites très attention ». En pensant à elle, on craint sa répétition, c'est la pensée qui invite la peur. C'est là une forme particulière d'appréhension, celle de voir une maladie se répéter avec la souffrance qui l'accompagne.

Et puis il y a toutes les peurs psychologiques nées de la pensée — peur de ce que peut dire le voisin, de n'être pas tenu pour un grand bourgeois respectable, de ne pas parvenir à se conformer à la moralité sociale —

142

laquelle est immoralité — peur de perdre une situation, d'être seul, d'être anxieux — (l'anxiété elle-même est peur) et ainsi de suite — tout cela est le produit d'une vie axée sur la pensée.

Il n'y a pas seulement les peurs conscientes, mais encore les peurs enfouies, dissimulées dans la psyché, dans les couches profondes de l'esprit. On peut agir sur les peurs conscientes, mais les peurs profondes et cachées sont plus difficiles. Comment faire surgir à la surface ces angoisses inconscientes et profondes, comment les dévoiler? L'esprit conscient est-il capable de le faire? Mû comme il l'est par sa pensée active, peut-il découvrir ce qui est inconscient, ce qui est caché? (Nous nous servons du mot « inconscient » d'une façon non technique : ne pas être conscient de, ne connaissant pas les couches cachées — sans plus). L'esprit conscient, celui qui est entraîné à s'adapter sans cesse pour assurer la survie, le conservateur des choses comme elles sont — vous connaissez l'esprit conscient et ses ruses — un tel esprit est-il capable de dévoiler tout le contenu de l'inconscient? Je ne le crois pas. Il peut dévoiler une couche qu'il traduira selon son conditionnement. Mais cette interprétation même, conforme au conditionnement, ajoutera aux nouveaux préjugés de l'esprit conscient, le rendant encore plus incapable d'examiner la couche suivante.

On peut voir que le simple effort conscient pour examiner le contenu plus profond de l'esprit devient extrêmement ardu à moins que l'esprit de surface ne soit com-

plètement libéré de tout conditionnement, de tout
préjugé, de toute peur — autrement dit, il est incapable
de regarder. Voyant combien ce procédé est ardu, probablement complètement impossible, on demande : existe-
t-il une autre façon de s'y prendre tout à fait différente?

L'esprit peut-il se vider de toute peur par l'analyse,
auto-analyse ou analyse professionnelle? Ce procédé
implique autre chose. Quand je m'analyse moi-même,
que je m'observe, couche après couche, j'examine, je juge,
je soupèse; je dis : « ceci est bien », « cela est mal », « je
rejetterai ceci », « je garderai cela ». Suis-je alors autre
chose que la chose analysée? Ceci vous devez y répondre
vous-même, voir quelle en est la vérité. L'analyseur est-il
autre chose que la chose analysée? Par exemple la jalousie? Le jaloux n'est pas différent, il est cette jalousie, il
s'efforce de se distinguer de cette jalousie et d'être une
entité qui dit : « Je vais regarder la jalousie, m'en débarrasser, la dominer. » Mais la jalousie et l'analyseur font
partie l'un de l'autre.

Ce processus d'analyse fait intervenir le temps ; autrement dit, pour m'analyser il me faudra bien des jours
ou peut-être bien des années. A la fin de ces années
j'aurai encore peur. Donc, ce n'est pas l'analyse qui
convient. Elle exige beaucoup de temps et quand la maison brûle vous n'allez pas vous asseoir pour analyser,
ou vous adresser à un professionnel et lui dire : « S'il
vous plaît, dites-moi tout ce qu'il y a à savoir sur moi-
même » — il vous faut agir. L'analyse est une forme d'éva-

sion, de paresse, d'inefficacité. Il est peut-être de mise pour un névropathe d'aller trouver un psychanalyste, mais même dans un tel cas il ne verra pas la fin de sa maladie. Mais c'est là une autre question.

L'analyse de l'inconscient conduite par le conscient ne convient pas. Ceci l'esprit l'a vu et il se dit : « C'est fini, l'analyse j'en ai vu la vanité ; je ne vais plus résister à la peur. » Vous suivez bien ce qui est arrivé à l'esprit ? Quand il a rejeté la façon traditionnelle d'aborder le problème, celui de l'analyse, de la résistance, du temps, que lui est-il arrivé, à lui ? Il est devenu extraordinairement aigu. L'esprit, par la nécessité d'observer, est devenu extraordinairement intense, acéré, vivant. Et il demande : y a-t-il une autre façon d'aborder ce problème qui consiste à dévoiler tout le contenu, le passé, l'héritage racial, familial, tout le poids des traditions culturelles et religieuses, produit de deux mille ou dix mille années ? L'esprit peut-il être affranchi de tout cela, peut-il le rejeter et par conséquent rejeter toute peur ?

Ainsi je me trouve devant ce problème, ce problème qu'un esprit aiguisé — un esprit qui a rejeté toute forme d'analyse, laquelle, par force, prend du temps, et pour lequel par conséquent n'existe plus le demain — se propose de résoudre complètement et immédiatement. Par conséquent plus d'idéal ; plus question d'un avenir où l'on se dit : « Je vais m'en affranchir. » Ainsi, il est désormais dans un état d'*attention complète*. Il ne s'évade plus, il ne fait plus appel au temps comme moyen de résoudre son problème, il ne fait plus appel à l'analyse, il ne dresse aucune résistance. En tout cela il a pris une qualité entièrement nouvelle.

Les psychologues prétendent qu'il vous faut rêver, autrement vous deviendriez fou. Moi je me demande : « Mais pourquoi rêver ? » Existe-t-il une façon de vivre où l'on ne rêverait pas du tout ? — parce qu'alors, si vraiment on ne rêve pas du tout, l'esprit se repose totalement. Toute la journée il a été actif, il a observé, il a écouté, il a questionné, il a contemplé la beauté du nuage, le visage d'une belle créature, l'eau, le mouvement de la vie, tout — il a observé, il a regardé ; et quand il s'endort il lui faut un repos complet, autrement au réveil le lendemain matin il sera fatigué, il sera encore vieux.

On se demande dès lors s'il n'y aurait pas possibilité de ne pas rêver du tout, afin que l'esprit pendant le sommeil prenne un repos complet et puisse tomber sur certaines qualités qui lui sont interdites pendant les heures de veille ? Ce n'est possible — et ceci est un fait, ce n'est pas une hypothèse, une théorie, ou une invention, ou une aspiration — ce n'est possible que si vous êtes complètement éveillé au courant de la journée, observant votre activité, votre pensée, vos sentiments, vos mobiles, chaque intimation, chaque suggestion profondément enfouie, quand vous bavardez, quand vous vous promenez, quand vous écoutez quelqu'un, quand vous observez votre propre ambition, votre jalousie, vos sentiments, quand il s'agit de la « gloire de la France », quand vous lisez un livre qui affirme que « vos croyances religieuses sont des sottises » — quand vous observez pour voir ce qu'implique la croyance. Pendant ces heures de veille, soyez complètement à l'écoute, que vous soyez assis dans un autobus ou bavardant avec votre femme, avec vos enfants, avec vos amis, quand vous fumez — pourquoi fumez-vous — quand vous lisez un roman policier — pourquoi vous le lisez — quand vous allez au cinéma — pourquoi — comme divertissement, comme stimulant sexuel ? Quand vous voyez un bel arbre ou le mouvement d'un nuage qui traverse le ciel, prenez-en conscience complètement, prenez conscience de ce qui se passe autour de vous et en vous, et vous vous apercevrez, au moment du sommeil, que vous ne rêvez pas, et au réveil le lendemain matin que vous avez un esprit plein de fraîcheur, d'intensité, de vie.

Chapitre VIII

LE TRANSCENDANT

Pénétrer la réalité. Tradition de la méditation. La réalité et l'esprit silencieux

(Paris, 24 avril 1969)

Nous avons parlé du chaos qui règne dans le monde, de la grande violence, de la confusion non seulement extérieure mais intérieure. La violence est un résultat de la peur, sujet que nous avons déjà approfondi. Il me semble que nous devons maintenant examiner une question qui peut vous être un peu étrangère et cependant elle est à étudier, et non pas à mettre de côté sous prétexte qu'elle serait chimérique, fantaisiste et ainsi de suite.

Tout au long de son histoire, l'homme — mis en face du fait que sa vie est courte, pleine d'accidents, de tristesse et vouée à l'inévitable mort — a toujours formulé une idée à laquelle on a donné le nom de Dieu. Il s'est rendu compte, comme nous le faisons encore aujourd'hui, que la vie est passagère et il a toujours eu soif de connaître quelque chose de vaste, d'immense, de suprême, quelque chose qui ne soit une émanation ni du mental, ni de nos états émotifs; il avait soif de connaître, de trouver en tâtonnant, un monde entièrement différent, qui

148

transcende celui-ci, qui soit au-delà de toute souffrance, de toute douleur. Ce monde transcendental, il espérait le trouver en cherchant, en creusant. Il nous faut approfondir cette question de savoir s'il existe ou non une réalité — quel que soit le nom qu'on lui donne — une réalité appartenant à une dimension entièrement différente. Et si l'on prétend la connaître dans ses profondeurs, il faut évidemment se rendre compte qu'une compréhension au niveau verbal ne suffit pas, car jamais la description n'est l'objet décrit, jamais le mot n'est la chose. Pouvons-nous approfondir ce mystère — si mystère il y a — que l'homme s'est toujours efforcé de capter, de pénétrer, de solliciter, de maintenir, d'adorer, à quoi il rêve de se dévouer?

La vie étant ce qu'elle est — vide, superficielle, une affaire tortueuse et sans grande portée — on s'efforce d'inventer une signification, de lui donner un sens, et pour un esprit habile, rusé, la signification et le but de cette invention seront compliqués. N'y trouvant ni la beauté, ni l'amour, ni le sentiment d'immensité auquel on aspire, on risque de tomber dans le cynisme, de ne plus croire à rien. Il est visiblement assez absurde, illusoire et déraisonnable d'inventer une idéologie, une formule, d'affirmer que Dieu existe ou qu'il n'existe pas, et que la vie n'a pas de sens — ce qui est vrai étant donné notre façon de vivre, elle n'a pas de sens. Mais n'allons pas en inventer un.

Ne pouvons-nous pas avancer ensemble et découvrir par nous-mêmes s'il existe ou non une réalité autre qu'une invention purement mentale ou émotive, autre qu'une évasion! A travers leur histoire les hommes ont toujours affirmé qu'une telle réalité existe; il faut, disent-ils, s'y préparer, accomplir certaines actions, se discipliner, résister à la tentation sous toutes ses formes, se dominer, maîtriser sa vie sexuelle, se conformer à un modèle établi par une autorité religieuse quelconque, ses saints et ainsi de suite; ou bien encore, disent-ils, vous devez rejeter le monde, vous retirer dans un monastère, dans une grotte où vous vous proposerez de méditer, de vivre seul, de ne pas être soumis à la tentation. L'absurdité de tous ces efforts est évidente; il est impossible de s'évader du monde, de « ce qui est », de la souffrance, des distractions, de tout ce que l'homme a édifié dans le domaine scientifique. Et puis les théologies! Très évidemment il faut rejeter toutes les théologies, tous les dogmes. Si l'on élimine ainsi complètement les croyances sous toutes leurs formes, alors il ne subsiste plus aucune peur.

Sachant que la moralité sociale n'en est pas une, qu'elle est immorale, on se rend compte qu'il faut pourtant être intensément moral car, après tout, la moralité n'est pas autre chose que l'établissement de l'ordre en soi-même et extérieurement aussi; mais cette moralité doit se manifester dans l'action, être un comportement moral réel et non pas une création mentale fictive ou idéale.

Est-il possible d'être discipliné sans avoir recours à la contrainte, aux évasions, aux suppressions? La racine du mot « discipline » signifie « apprendre », non pas se conformer, se dire le disciple de quelqu'un, imiter ou opprimer, mais apprendre. L'action d'apprendre exige une discipline, une discipline qui n'est pas imposée, qui ne consiste pas à s'adapter à une idéologie quelconque, qui ne se confond pas avec l'impitoyable austérité du moine. Cependant, faute d'une profonde austérité notre comportement dans la vie quotidienne ne peut nous conduire qu'au désordre. On peut voir combien il est essentiel d'avoir en soi-même un ordre total, rappelant l'ordre mathématique, et non pas relatif, comparatif, issu des influences de l'entourage. Le comportement, qui est vertu, doit manifester un ordre total. Un esprit tourmenté, frustré, moulé par son entourage, se conformant à la moralité sociale, est forcément confus ; et un esprit confus est incapable de découvrir ce qui est vrai.

Si l'esprit doit découvrir ce mystère étrange — si toutefois il existe — il doit établir comme base un comportement, une moralité qui ne sont pas ceux de la société, une moralité qui ne connaît aucune espèce de peur et qui est par conséquent libre. Alors seulement — après qu'a été posée cette base solide — l'esprit peut avancer et découvrir ce que c'est que la méditation, cette qualité de silence, d'observation, où l'« observateur » n'existe pas. Si cette base de comportement vertueux ne joue pas son rôle dans notre vie, dans notre action, la méditation n'a que peu de sens.

En Orient il y a de nombreuses écoles, de systèmes et de méthodes de méditation — le Zen, le Yoga — qui se sont répandus en Occident. Il faut voir très clairement ce qu'implique cette notion que l'esprit est capable de découvrir la réalité au moyen d'une méthode, d'un système, ou en se conformant à certains modèles, certaines traditions. Il est bien clair que tout ceci est absurde, que cela vienne de l'Orient ou ait été inventé ici. Toute méthode implique conformisme et répétition; elle implique qu'existe un personnage ayant atteint une certaine illumination et qui dit: faites ceci ou ne faites pas cela. Et nous, dans notre soif d'atteindre cette réalité, nous suivons, nous nous conformons, nous obéissons, nous nous exerçons à ce que l'on nous a dit de faire, jour après jour, comme autant de mécaniques. Un esprit morne dont la sensibilité est émoussée, un esprit dénué de la plus haute intelligence, peut s'exercer à une méthode éternellement, il sera de plus en plus obtus, de plus en plus stupide. Il aura sa propre « expérience », mais, cela, toujours dans le champ de son conditionnement.

Certains d'entre vous avez peut-être été en Orient où vous avez sans doute étudié la méditation. Derrière ces mot se cache toute une tradition. Aux Indes, et à travers toute l'Asie, elle s'est répandue en explosion dans les jours anciens. C'est une tradition qui exerce encore sa puissance sur l'esprit, on a écrit des volumes à ce sujet. Mais n'importe quelle tradition — reliquat du passé — que l'on peut utiliser pour découvrir s'il existe une immense réalité, est évidemment un effort gaspillé. L'esprit doit être libéré de toute forme de tradition ou

152

de sanction spirituelle; autrement il est privé de l'intelligence dans sa forme la plus haute.

Qu'est-ce donc que la méditation, si elle n'est pas traditionnelle? — et elle ne peut pas être traditionnelle, personne ne peut vous l'enseigner, vous ne pouvez suivre un chemin particulier et dire: « C'est en suivant ce chemin-là que je vais apprendre la méditation. » Toute la portée de la méditation consiste en ceci, que l'esprit devienne complètement silencieux; non seulement au niveau conscient, mais encore dans les couches profondes, secrètes, cachées; dans un calme et un apaisement si complets, si entiers, que la pensée même soit silencieuse et cesse de vagabonder. Un des enseignements traditionnels sur la méditation, ce procédé dont nous parlons, prétend qu'il faut contrôler la pensée; mais c'est là un point de vue qu'il faut rejeter totalement et pour cela il faut regarder les choses de très près, d'une façon objective et sans émotivité quelconque.

La tradition prétend que vous devez avoir un gourou, un instructeur; il vous aidera à méditer, il vous dira quoi faire. L'Occident aussi possède sa tradition: prière, contemplation, confession. Mais dans tout enseignement selon lequel il existe quelqu'un d'autre qui sait, alors que vous ne savez pas et que celui qui sait va vous enseigner, vous dispenser l'illumination, en cela sont impliqués l'autorité, le maître, le gourou, le sauveur, le Fils de Dieu et ainsi de suite. Eux savent et vous ne savez pas; et on vous dit: « Suivez cette méthode, ce système, exercez-

153

vous quotidiennement et en fin de compte vous parviendrez — si vous avez de la chance. » Ceci veut dire que toute la journée vous êtes en lutte avec vous-même, vous efforçant de vous conformer à un modèle, à un système, à supprimer vos propres désirs, vos appétits, votre envie, vos jalousies, vos ambitions. Et alors, en vous, fait rage ce conflit entre ce que vous êtes vraiment et ce que vous devriez être selon le système; d'où un état d'effort, et l'esprit qui fait un effort ne peut jamais être tranquille, jamais par l'effort l'esprit ne pourra devenir complètement silencieux.

Puis la tradition dit : Concentrez-vous afin de dominer vos sentiments. Se concentrer c'est tout simplement résister, élever un mur autour de soi-même, projeter un processus d'orientation exclusif dirigé vers une idée, un principe, une image ou tout ce que vous voudrez. La tradition affirme que vous devez passer par cet état afin de découvrir cette chose que vous désirez. Elle dit aussi qu'il vous faut rejeter toute vie sexuelle et ne pas vous tourner vers ce monde, comme l'ont dit tous les saints qui sont plus ou moins névrosés. Et si vous voyez tout cela clairement — non pas seulement verbalement ou intellectuellement, mais réellement — ce qu'impliquent toutes ces pratiques, et vous ne pouvez le voir que si vous n'êtes pas engagés, si vous êtes capables de regarder les choses objectivement, alors tout cela vous le niez complètement. Il faut le rejeter complètement, parce que l'esprit, du fait même de cette dénudation, devient libre

154

et par conséquent intelligent, éveillé et dégagé des pièges de l'illusion.

Pour méditer, au sens le plus profond de ce mot, il faut être vertueux, moral; il ne s'agit pas ici de la moralité d'un modèle, d'un exercice, de celle qui est issue d'un ordre social, mais d'une moralité qui s'instaure tout naturellement, inévitablement dans la douceur, quand vous commencez à vous comprendre vous-même, quand vous pénétrez profondément en vous-même, quand vous êtes conscient de votre propre pensée, de vos sentiments, de vos activités, de vos appétits, de vos ambitions et ainsi de suite — et cela sans aucune inclination personnelle, vous contentant simplement d'observer. D'une telle observation jaillit l'action juste, totalement autre que le conformisme ou l'action conforme à un idéal. Quand un tel état règne profondément en vous-même, dans sa beauté et son austérité à laquelle toute dureté est complètement étrangère — car la dureté n'existe que là où il y a effort — quand vous avez fait le tour de tous ces systèmes, de toutes ces méthodes, de toutes ces promesses, que vous les avez vus objectivement sans aversion ni prédilection, vous pouvez dès lors les rejeter complètement, et votre esprit se trouve allégé, libéré du passé; et vous pouvez prétendre découvrir ce que c'est que la méditation.

Faute d'avoir posé la base essentielle vous pouvez vous amuser à méditer, mais cela n'a pas de sens — vous êtes comme ces gens qui vont en Orient. Ils vont trouver un maître quelconque qui leur dit comment s'asseoir, comment respirer, quoi faire, ceci ou cela, puis ils reviennent pour écrire un livre qui n'est qu'une suite de pauvretés. Il faut être son propre instructeur et son propre disciple, il n'existe aucune autorité, il n'existe que la compréhension.

Celle-ci n'est possible que lorsqu'il y a une observation dépourvue de tout centre, l'observateur. Avez-vous jamais cherché à découvrir, observer ou suivre ce que c'est que la compréhension? Elle n'est pas un processus intellectuel; elle n'est ni sentiment ni intuition. Quand on dit : « Je comprends quelque chose très clairement », c'est une observation qui surgit d'un silence total — alors seulement il y a compréhension. Quand vous dites : « Je comprends quelque chose », cela signifie que l'esprit écoute dans le plus grand calme, sans être d'accord ou en désaccord; dans un tel état on écoute complètement — alors seulement se produit une compréhension et celle-ci est action. Il n'y a pas d'abord compréhension et action ensuite, il n'y a qu'un seul mouvement, unique et simultané.

Donc la méditation — ce mot si lourdement chargé par la tradition — consiste à amener sans effort, sans aucune contrainte, l'esprit et le cerveau à leur plus haute capacité, laquelle est intelligence; cela consiste à être intensément et hautement sensitif. Le cerveau est apaisé; ce reliquaire du passé, moulé à travers des millions d'années, ce siège d'une agitation incessante et continue — ce cerveau est apaisé, tranquille.

Lui est-il le moins du monde possible, alors qu'il réagit à chaque instant, répondant au stimulus le plus infime, selon son propre conditionnement, lui est-il possible d'être immobile? Selon la tradition il peut être contraint à l'immobilité par certains systèmes de respiration, en s'exerçant à la lucidité. Mais ceci pose à nouveau la question « qui » est l'entité qui contrôle, qui s'exerce, qui moule le cerveau? N'est-ce pas la pensée, laquelle affirme: « C'est moi l'observateur et je me propose de contrôler le cerveau et de mettre fin à la pensée »? La pensée engendre le penseur.

Le cerveau peut-il être complètement immobile? Cela fait partie de la méditation que de le découvrir, et non pas de se laisser dire comment faire; personne ne peut nous dire comment faire. Votre cerveau — si lourdement conditionné par vos cultures, toutes les formes d'expérience, ce cerveau qui est l'aboutissement d'une vaste évolution — peut-il demeurer immobile? Parce qu'autrement tout ce qu'il pourra voir ou ressentir sera déformé, traduit selon son conditionnement.

Quel rôle peut bien jouer le sommeil dans la méditation, et dans notre existence en général? C'est une question intéressante; si vous l'avez examinée par vous-même vous aurez pu découvrir bien des choses. Comme nous l'avons dit l'autre jour: les rêves ne sont pas une chose nécessaire. Nous avons dit que l'esprit, le cerveau, doit être complètement éveillé et lucide au courant de la journée — attentif à ce qui se passe à la fois intérieurement et extérieurement, conscient des réactions intérieures qui se produisent vis-à-vis du monde extérieur, avec ses tensions qui suscitent des réactions. Il faut qu'il soit complètement attentif aux suggestions de l'inconscient — et puis, à la fin de la journée, il doit tenir compte de tout cela. Si vous négligez tout ce qui s'est passé, à la fin de la journée, le cerveau se voit forcé de travailler pendant la nuit alors que vous dormez, afin de mettre de l'ordre en lui-même — tout ceci est évident. Mais si vous l'avez fait, quand vous dormirez, vous allez apprendre une chose entièrement différente, vous apprenez dans une dimension complètement autre ; c'est là un élément de la méditation.

Donc, vous posez la base de votre comportement, là où action est amour. Vous avez rejeté toutes les traditions, laissant votre esprit complètement libre et le cerveau complètement calme. Si vous l'avez fait par vous-même, vous aurez vu que le cerveau peut être calmé non pas au moyen d'un procédé, en prenant une drogue, mais grâce à cette lucidité active et passive qui règne au courant de la journée. Et si vous avez résumé le soir tout ce qui s'est passé et que, par conséquent, vous avez établi en vous-même un état d'ordre, alors pendant le sommeil le cerveau est apaisé, il apprend selon un mouvement complètement différent.

Donc, ce corps tout entier, le cerveau, tout est tranquille, ne subissant aucune déformation ; et c'est alors seulement, s'il existe une réalité, que l'esprit est capable de l'accueillir. Elle ne peut pas être sollicitée, cette chose immense — si toutefois une telle immensité existe, si le transcendental, cette chose que l'on ne peut nommer, existe — mais seul un esprit ainsi apaisé est capable de distinguer ce qui est faux et ce qui est vrai d'une telle réalité.

Vous pourrez peut-être dire : « Quels rapports entre tout ceci et la vie courante ? — Il me faut vivre de ma vie quotidienne, aller au bureau, faire la vaisselle, voyager dans un autobus encombré et entendre tout le bruit de ce monde — quels rapports existent entre la méditation et tout ceci ? » Et pourtant, après tout, la méditation c'est la compréhension de la vie, la vie courante dans toute sa complexité, ses tourments, sa tristesse, sa solitude, son désespoir, son désir de célébrité, de réussite, et puis la peur et la convoitise — comprendre tout cela, c'est méditer. Faute de le comprendre, toute tentative de dévoiler le mystère est complètement vide, inutile et fallacieuse. C'est comme une vie désordonnée, un esprit désordonné cherchant à découvrir un ordre mathématique. La méditation plonge en plein dans la vie ; elle ne consiste pas à se réfugier dans un état émotif ou extatique. Il existe une extase qui n'est pas plaisir ; mais celle-ci ne surgit que là où règne cet ordre rigoureux en soi-même, un ordre absolu. La méditation c'est le chemin même de la vie quotidienne — et alors seulement ce qui est impérissable, qui ne connaît pas le temps, alors seulement « cela » peut prendre naissance.

Question. — Qui est l'observateur qui prend conscience de ses propres réactions? Quelle est l'énergie utilisée?

Réponse. — Avez-vous jamais considéré quoi que ce soit sans réaction? Avez-vous regardé un arbre, le visage d'une femme, une montagne, un nuage ou une lumière se jouant sur l'eau, simplement pour les regarder et sans traduire votre sensation en préférence ou en aversion, en plaisir ou en souffrance — simplement regarder? Dans une telle observation, si vous êtes complètement attentif, existe-t-il un observateur? Faites-le, monsieur, ne me demandez pas à moi — et si vous le faites vous découvrirez. Observez les réactions, sans juger, soupeser, déformer, soyez si complètement attentif à chaque réaction que, dans cette attention, vous vous apercevrez qu'il n'existe ni observateur, ni penseur, ni sujet de l'expérience.

Venons-en à la deuxième question : pour changer quoi que ce soit en soi-même, pour susciter une transformation, une révolution dans la psyché, quelle est l'énergie qui est en jeu? Comment obtenir cette énergie? Dans notre état actuel nous disposons d'une certaine énergie, mais elle se fait jour dans les états de tension, de contradiction, de conflit; il y a une énergie dans la lutte entre deux désirs, entre ce que je dois faire et ce que je devrais faire — il y a là beaucoup d'énergie perdue. Mais quand il n'y a aucune contradiction d'aucune sorte, il y a abondance d'énergie. Regardez votre propre vie, regardez-la vraiment, elle est faite de contradictions; vous aspirez

160

à la paix et il y a quelqu'un que vous haïssez ; vous désirez aimer et vous êtes ambitieux. Ces contradictions engendrent des conflits et des luttes ; et ces luttes sont un gaspillage de force. S'il n'existe plus aucune contradiction, vous disposez de l'énergie suprême qui vous permettra de vous transformer. On demande alors : comment est-il possible que n'existe aucune contradiction entre l'« observateur » et la chose « observée », entre l'« expérimentateur » et l'« expérience », entre l'amour et la haine ? — Toutes ces dualités, comment vivre sans elles ? C'est possible dès l'instant où n'existe que le fait et rien d'autre — le fait que vous haïssez, que vous êtes violent, sans qu'aucune idée ne vienne s'y opposer. Quand vous avez peur vous cherchez à créer un opposé, le courage, lequel est résistance, contradiction, effort et tension. Mais quand vous comprenez à fond ce que c'est que la peur et que vous ne vous évadez pas grâce à un opposé, quand vous consacrez toute votre attention à la peur, alors non seulement elle cesse psychologiquement d'exister mais, en plus, vous disposez de l'énergie nécessaire pour la regarder en face. Ceux de la tradition disent : « Il vous faut disposer de cette énergie, par conséquent ne la dissipez pas dans la sexualité, ne vous laissez pas prendre aux activités de ce monde, concentrez-vous, tournez votre esprit vers Dieu, abandonnez ce monde, ne vous laissez pas tenter » — tout cela dans le but de conserver cette énergie. Mais vous demeurez tel que vous étiez, un être humain doué d'appétits, brûlant intérieurement de pressions sexuelles

161

et biologiques, ayant le désir ardent de faire ceci ou cela, vous contrôlant, vous contraignant et tout ce qui s'ensuit, et, par conséquent, gaspillant votre énergie. Mais si vous vivez avec le fait et rien d'autre — si, étant en colère vous comprenez cette colère au lieu de faire des efforts pour la vaincre, si vous approfondissez la chose, si vous vivez avec elle, demeurez avec elle, y consacrez la plus complète attention, vous vous apercevrez que vous disposez d'une abondance d'énergie. C'est celle-ci qui rend l'esprit clair, le cœur ouvert, et il y a alors abondance d'amour — et non pas d'idées ou de sentiments.

Question. — Qu'entendez-vous par extase, pouvez-vous la décrire? Vous avez dit que l'extase n'est pas le plaisir, que l'amour n'est pas le plaisir.

Réponse. — Qu'est-ce que l'extase? Quand vous contemplez un nuage, la lumière dans ce nuage, il y a beauté. La beauté est passion. Voir la beauté d'un nuage, celle d'un rayon de lumière sur un arbre, pour cela il faut qu'il y ait passion, qu'il y ait intensité. Dans une telle intensité, dans une telle passion, il n'y a aucun sentiment, aucun sentiment de préférence ou d'aversion. L'extase n'est pas personnelle, elle n'est ni la vôtre ni la mienne; tout comme l'amour qui n'est ni le vôtre ni le mien. Quand il y a plaisir il y a le tien et le mien. Mais quand existe l'esprit méditatif il a sa propre extase — qui ne peut pas être décrite ni exprimée en paroles.

162

Question. — Prétendez-vous qu'il n'existe ni bien ni mal, que toutes nos réactions sont bonnes — est-ce là ce que vous dites?

Réponse. — Non, monsieur, ce n'est pas cela que j'ai dit. J'ai dit: observez votre réaction et ne l'appelez ni bonne ni mauvaise. Dès que vous la nommez bonne ou mauvaise il surgit une contradiction. Avez-vous jamais regardé votre femme — je regrette d'y revenir — sans l'image que vous avez d'elle, cette image que vous avez construite pendant trente années ou plus? Vous avez d'elle une image et elle en a une de vous. Il y a des relations entre ces images, mais entre elle-même et vous il n'y en a pas. Ces images prennent naissance quand vous n'êtes pas attentif dans vos rapports — c'est l'inattention qui engendre ces images. Etes-vous capable de contempler votre femme sans condamner, sans évaluer, pour dire qu'elle a tort ou raison, simplement observer sans permettre à vos préjugés d'intervenir? Vous verrez alors qu'il surgit une action d'un ordre totalement différent, issue d'une telle observation.

DEUXIÈME PARTIE

Dialogues

CHAPITRE IX

VIOLENCE

Qu'est-ce que la violence ? L'imposition est sa racine psychologique

(Saanen, Suisse, 3 août 1969)

Le propos de ces discussions est de mettre en œuvre une observation créatrice — nous observer nous-mêmes créativement alors même que nous parlons. Nous devrions tous prendre notre part à tous les sujets dont nous désirons discuter, et il faut qu'il y ait une certaine franchise — non pas un manque d'égards ou de la rudesse en exposant la sottise ou l'intelligence d'un autre; mais chacun de nous devrait prendre sa part de la discussion de toute question et de son contenu. Dans l'affirmation même de tout ce que nous pouvons ressentir, ou examiner, il faudrait qu'il y ait l'impression de percevoir quelque chose de neuf. Telle est la création, non pas la répétition de l'ancien, mais l'expression du neuf dans la découverte de nous-mêmes au moment même où nous nous exprimons en paroles. Il me semble qu'alors ces discussions en vaudront la peine.

Question (1). — Pourrions-nous approfondir la question de l'énergie et de son gaspillage?

166

Question (2). — Vous avez parlé de la violence, celle de la guerre, notre façon de traiter les gens, notre façon de penser, de regarder les autres. Que dire de la violence, l'auto-préservation? Si je me voyais attaqué par un loup, je me défendrais passionnément et de toutes mes forces. Est-il possible d'être violent d'une part et de ne pas l'être d'une autre?

Krishnamurti. — Une suggestion a été émise en ce qui concerne la violence, un procédé qui consiste à nous déformer nous-mêmes dans le but de nous conformer à un certain modèle social ou à une certaine moralité; mais il y a aussi la question de l'auto-préservation. Comment délimiter la frontière entre la préservation de soi-même — laquelle peut parfois exiger une certaine violence — et d'autres formes de violence? Désirez-vous discuter de ce point?

Auditeur. — Oui.

Krishnamurti. — Puis-je tout d'abord discuter des différentes formes de violence psychologiques, pour voir ensuite le rôle de l'auto-préservation devant une attaque extérieure? Je me demande quelle idée vous vous faites de la violence? Qu'est-elle pour vous?

Auditeur (1). — C'est un type de défense.

Auditeur (2). — C'est un trouble apporté à mon confort personnel.

Krishnamurti. — Qu'est-ce que c'est pour vous, la violence, le sentiment, le mot, la nature de la violence?

Question (1). — C'est une agression.

167

Question (2). — Si vous êtes frustré vous tombez dans la violence.

Question (3). — Si un homme se sent incapable de faire quelque chose, il devient violent.

Question (4). — C'est de la haine, le désir de dominer.

Krishnamurti. — Que signifie pour vous le mot violence?

Question (1). — C'est une manifestation de danger quand intervient le « moi ».

Question (2). — C'est de la peur.

Question (3). — Mais, assurément, dans la violence vous blessez quelqu'un ou quelque chose mentalement ou physiquement.

Krishnamurti. — Connaissez-vous la violence parce que vous connaissez la non-violence? Sauriez-vous ce que c'est que la violence s'il n'y avait pas son opposé? Vous connaissez des états de non-violence, est-ce pour cette raison que vous reconnaissez la violence? Et comment la connaissez-vous? On est agressif, compétitif, et en voyant les effets de tels états, c'est-à-dire de la violence, on construit un état de non-violence. S'il n'y avait pas d'opposé, sauriez-vous ce que c'est que la violence?

Question. — Je n'y attacherais pas d'étiquette, mais je ressentirais quelque chose.

Krishnamurti. — Ce sentiment existe-t-il ou bien prend-il naissance parce que vous connaissez la violence?

Question. — Il me semble qu'elle est pour nous une cause de souffrance; c'est un état malsain dont nous

168

voulons nous débarrasser. Et c'est pourquoi nous désirons devenir non-violents.

Krishnamurti. — Je ne sais rien de la violence pas plus que de la non-violence. Je ne pars d'aucun concept, d'aucune formule. Véritablement, je ne sais pas ce que signifie la violence. Je désire la découvrir.

Question. — Ayant passé par l'expérience d'avoir été blessé ou attaqué, on désire se protéger.

Krishnamurti. — Oui, cela je le comprends, cela a déjà été dit. Mais je cherche encore à découvrir ce que c'est que la violence. Je veux examiner, je veux explorer, je veux déraciner le problème, le modifier. Vous me suivez?

Question. — La violence c'est un manque d'amour.

Krishnamurti. — Savez-vous ce que c'est que l'amour?

Question. — Je crois que toutes ces choses-là viennent de nous-mêmes.

Krishnamurti. — Oui, tout juste.

Question. — La violence vient de nous-mêmes.

Krishnamurti. — C'est tout à fait cela. Et je veux découvrir si elle vient de l'extérieur ou de l'intérieur.

Question. — C'est une forme de protection.

Krishnamurti. — Avançons lentement, s'il vous plaît. C'est un problème grave qui intéresse le monde entier.

Question. — La violence dissipe une partie de mon énergie.

Krishnamurti. — Tout le monde a parlé de la violence et de la non-violence, les gens disent: « Il faut vivre avec violence » — ou bien, en ayant vu les effets, ils disent:

169

« Il faut vivre dans la paix. » Nous avons entendu tant de choses émanant de livres, de prédicateurs, d'éducateurs, d'autres encore ; mais moi je veux découvrir s'il est possible de connaître la nature de la violence et le rôle — si toutefois il y en a un — qu'elle joue dans la vie. Qu'est-ce qui nous pousse à la violence, l'agressivité, la compétition ? La violence est-elle implicite dans le conformisme à un modèle, si noble qu'il puisse être ? La violence fait-elle partie d'une discipline imposée par soi-même ou par la société ? La violence est-elle un conflit intérieur ou extérieur ? Je veux découvrir quelle est l'origine, le début de la violence, autrement je ne fais que dévider une suite de mots. Est-il naturel d'être violent au sens psychologique ? (Nous examinerons les états physio-psychologiques plus tard.) Intérieurement, la violence est-elle agression, colère, haine, conflit, suppression, conformisme ? Et le conformisme est-il basé sur cette lutte constante pour découvrir, pour parvenir, pour se réaliser soi-même, pour être noble et tout ce qui s'ensuit ? Tout cela appartient au champ psychologique. Si nous ne pouvons pas examiner la chose très profondément, nous ne comprendrons jamais comment produire un état différent dans notre vie quotidienne, laquelle exige une certaine auto-préservation, d'accord ? Alors partons de là. Selon vous qu'est-ce que la violence — non pas verbalement, mais véritablement et intérieurement ?

Question (1). — Elle consiste à violer quelque chose d'autre, à imposer quelque chose.

170

Question (2). — Et que dire du rejet de quelque chose?

Krishnamurti. — Prenons tout d'abord le premier point, imposer quelque chose, violenter ce qui est. Je suis jaloux et sur cet état je surimpose l'idée de ne pas être jaloux, je dis: « Je ne dois *pas* être jaloux. » Cette surimposition, ce viol de « ce qui est », c'est la violence. Nous allons avancer petit à petit et peut-être que dans cette unique phrase toute la question peut être vue. Le « ce qui est » est toujours en mouvement, ce n'est pas une chose statique. Et cet état, je le violente en lui surajoutant quelque chose dont je crois que cela « devrait être ».

Question. — Voulez-vous dire que quand je suis en colère, je me dis que la colère ne devrait pas exister et alors au lieu d'être en colère, je cherche à la contrôler. Est-ce là de la violence? Ou bien est-ce violence quand je l'exprime?

Krishnamurti. — Considérons un exemple: je suis en colère et pour procurer une certaine détente à cet état, je vous frappe, ce qui entraîne toute une chaîne de réactions, et vous en venez à me frapper à votre tour. L'expression même d'une telle colère est violence. Et si, sur ce fait de ma colère, je surimpose autre chose, autrement dit « ne pas être en colère », n'est-ce pas là aussi de la violence?

Question. — Je serai d'accord avec vous tant qu'il ne s'agira que d'une définition générale. Mais la surimposition doit se produire d'une façon plus ou moins brutale.

171

C'est là ce qui la rend violente. Si vous l'imposez graduellement, ce ne serait pas violence.

Krishnamurti. — Je comprends, monsieur. Si la surimposition se passe avec douceur, avec tact, ce n'est pas violence. Je violente le fait que je hais en le supprimant graduellement, en douceur. Ceci, selon ce monsieur, ne serait pas de la violence. Mais que ce soit fait violemment ou en douceur, le fait demeure que vous surimposez quelque chose d'étranger sur « ce qui est ». Sommes-nous au moins d'accord sur ce point?

Auditeur. — Non.

Krishnamurti. — Regardons-y de plus près. Disons que j'ai l'ambition de devenir le plus grand poète du monde (ou n'importe quoi d'autre), et comme je ne le peux pas, je me sens frustré. Cette frustration, cette ambition est une forme de violence contre le fait que je ne le peux pas. Je me sens frustré parce que vous valez plus que moi. Est-ce que cela n'engendre pas la violence?

Auditeur. — Toute action entreprise contre une personne ou contre une chose est violence.

Krishnamurti. — Je vous en prie, examinez la difficulté qu'implique cette question. Il y a un fait, et il y a le viol de ce fait accompli par une autre action. Mettons par exemple que je n'aime pas les Russes ou les Allemands ou les Américains, et je cherche à imposer mon opinion à moi, mon jugement politique, c'est là une forme de violence. Quand je vous impose quelque chose c'est violent. Quand je me compare avec vous (qui êtes beaucoup

172

plus important et intelligent que moi), je me violente moi-même — n'est-ce pas vrai? Je suis violent. A l'école, B se compare à A, qui est beaucoup mieux doué pour les examens et les passe brillamment. Le professeur dit à B: « Vous devriez faire comme lui. » Et ainsi quand il compare B avec A, il y a violence et il détruit B. Tâchez de voir ce qu'implique ce fait que, quand je surimpose sur « ce qui est » le « ce qui devrait être » — l'idéal, la perfection, l'image et ainsi de suite, il y a violence.

Question (1). — J'ai l'impression en moi-même que s'il y a une résistance, quelque chose qui est capable de détruire, alors la violence prend naissance, mais aussi que si on ne résiste pas, on pourrait peut-être se faire violence à soi-même.

Question (2). — Toutes les manifestations qui entourent le soi, le « moi », ne sont-elles pas à la racine de toute violence?

Question (3). — Supposons que j'admette tout ce que vous dites. Supposons que vous haïssiez quelqu'un et que vous vous proposiez d'éliminer cette haine. Il y a deux façons de mener les choses: la façon violente et la façon non-violente. Si vous vous imposez à vous-même d'éliminer cette haine, vous vous faites violence à vous-même. Si, d'autre part, vous y mettez du temps, que vous vous donnez de la peine pour connaître vos propres sentiments et l'objet de votre haine, vous en viendrez peu à peu à dominer cette haine. Vous aurez alors résolu le problème dans la non-violence.

Krishnamurti. — Tout cela est assez clair, monsieur, n'est-ce pas? Mais nous ne cherchons pas pour le moment à voir comment s'y prendre avec cette violence, violemment ou non-violemment, nous nous demandons ce qui la fait naître en nous. En nous, psychologiquement, qu'est-ce que cette violence?

Question. — C'est une contrainte, n'est-ce pas? Ne s'agit-il pas de briser quelque chose? Quand on se sent mal à l'aise on devient de plus en plus violent.

Krishnamurti. — Si l'on veut briser ses propres idées, sa façon de vivre et ainsi de suite, il en résulte un certain malaise. Et c'est ce malaise qui entraîne la violence.

Question (1). — La violence peut provenir de l'extérieur ou de l'intérieur. En général, on considère que c'est l'extérieur qui porte la responsabilité de la violence.

Question (2). — La racine de la violence ne provient-elle pas de la fragmentation?

Krishnamurti. — S'il vous plaît, il y a tant de façons diverses de montrer ce que c'est que la violence et quelles en sont les causes. Ne pouvons-nous pas voir un fait tout simple et partir de celui-là, lentement? Pouvons-nous voir que toute forme d'imposition, celle du parent sur son enfant, ou de l'enfant sur son parent, ou de l'instructeur sur son élève, ou de la société, ou du prêtre, que toutes ces formes sont des formes de violence? Ne pouvons-nous pas nous mettre d'accord là-dessus et commencer par là?

Question. — Cela, ça vient du dehors.

Krishnamurti. — Nous le faisons non seulement extérieurement mais aussi intérieurement. Je me dis à moi-même : « Je suis en colère », et sur cette idée, je surimpose une idée que je ne dois pas être en colère. Et nous disons que c'est cela la violence. Extérieurement, quand un dictateur opprime le peuple, c'est de la violence. Quand je supprime ce que je ressens parce que j'ai peur, parce que ce n'est pas noble, parce que ce n'est pas pur et ainsi de suite, il y a violence. Donc, la non-acceptation de « ce qui est » nous entraîne à une telle imposition. Mais si j'accepte le fait que je suis jaloux sans offrir aucune résistance, alors je n'impose rien ; je saurai alors ce qu'il convient de faire. Et en cela il n'y a pas de violence.

Question. — Alors vous prétendez que l'éducation est violence ?

Krishnamurti. — Oui. Mais n'existerait-il pas une façon, une éducation dépourvues de violence ?

Question. — D'après la tradition, non.

Krishnamurti. — Voici le problème : par ma nature, dans mes pensées, selon la façon dont je vis, je suis un être humain violent, agressif, compétitif, brutal et tout ce qui s'ensuit. Voilà ce que je suis. Et je me dis : « Comment pourrais-je vivre autrement ? » — parce que la violence est source d'immenses antagonismes et de terribles destructions dans le monde. Je veux la comprendre, je veux m'en affranchir, je veux vivre autrement. Et alors je me dis : « Mais quelle est cette violence qui existe en moi ? » C'est frustration, parce que je voudrais être

175

célèbre et, sachant que je ne le peux pas, je hais les gens qui le sont. Je suis jaloux et je voudrais être non-jaloux, je hais cet état de jalousie avec toute son anxiété, sa peur, son irritation, et par conséquent je le supprime. Je le fais et je me rends compte que c'est le chemin de la violence. Et maintenant je veux découvrir si c'est inévitable, ou s'il existe un moyen de la comprendre, de la contempler, de l'aborder de front afin de vivre autrement. Donc, il me faut découvrir ce que c'est que la violence.

Question. — C'est une réaction.

Krishnamurti. — Vous allez trop vite. Est-ce que cela peut m'aider à comprendre la nature de ma violence? Je veux l'approfondir, je veux découvrir. Je vois que tant qu'existe un état de dualité — autrement dit violence et non-violence — il existe par force un état de conflit et, par conséquent, de violence accrue. Je suis bête et tant que je surimpose sur ce fait l'idée qu'il me faut être intelligent, il y a un début de violence. Quand je me compare à vous, qui êtes beaucoup plus que moi, cela encore est violence. Toute comparaison, suppression, domination — toutes ces choses manifestent une forme de violence. C'est comme cela que je suis fait. Je compare, je supprime, je suis ambitieux. Je me rends compte de tout ceci: comment vivre sans violence? Je veux découvrir une façon de vivre sans toute cette lutte.

Question. — N'est-ce pas le « moi » ou le « je » qui est dressé contre le fait?

176

Krishnamurti. — Nous y viendrons. Mais voyez tout d'abord ce qui se passe. Ma vie tout entière, depuis le moment où on m'a éduqué jusqu'à maintenant, n'a été qu'une forme de violence. La société dans laquelle je vis est une forme de violence. La société me dit de me conformer, d'accepter, de faire ceci, de ne pas faire cela, et je suis ses avis. C'est une forme de violence. Mais quand je me révolte contre la société, cela encore c'est une forme de violence (une révolte dans le sens que je n'accepte pas les valeurs établies par la société). Je me révolte, je me fais mes propres valeurs qui deviennent pour moi un modèle; ce modèle je l'impose aux autres et à moi-même, et cela devient une autre forme de violence. Voilà le genre de vie que je vis. Autrement dit, je suis violent. Et maintenant que faire?

Question. — En premier lieu il faudrait vous demander pourquoi vous ne voulez plus être violent.

Krishnamurti. — Parce que je vois ce que la violence a fait dans ce monde tel qu'il est; guerres extérieures, conflits intérieurs, conflits dans tous nos rapports. Objectivement et intérieurement je vois cette lutte qui se poursuit et je dis: « Il y a sûrement une autre façon de vivre. » autre dimension ... 8, A.

Question. — Et pourquoi est-ce que cet état de choses vous déplaît?

Krishnamurti. — C'est tellement destructeur.

Question. — Ceci implique que vous-même avez par avance attribué une valeur suprême à l'amour.

177

Krishnamurti. — Je n'ai attribué de valeur à rien du tout. Je me contente d'observer.

Question. — Dès l'instant où quelque chose vous déplaît, vous avez donné des valeurs.

Krishnamurti. — Je ne donne pas des valeurs, j'observe. J'observe que la guerre est destructrice.

Question. — Et où est le mal?

Krishnamurti. — Je ne dis pas que c'est mal ou bien.

Question. — Alors pourquoi voulez-vous y changer quelque chose?

Krishnamurti. — Je voudrais le changer parce que mon fils se fait tuer à la guerre, alors je me demande : «N'y a-t-il pas une façon de vivre autre que de s'entretuer? »

Question. — Donc, tout ce que vous désirez c'est de faire une expérience avec une autre façon de vivre pour la comparer ensuite avec ce qui se passe actuellement.

Krishnamurti. — Non, monsieur. Je ne compare pas. J'ai déjà dit tout ceci. Je vois mon fils qui se fait tuer à la guerre et je dis : « N'existe-t-il pas une autre façon de vivre? » Je veux découvrir s'il n'existe pas un mode de vie où la violence n'existe pas.

Question. — Mais supposons...

Krishnamurti. — Il n'y a pas de supposition, monsieur. Mon fils se fait tuer à la guerre et je veux découvrir s'il y a une façon de vivre où d'autres fils ne se font pas tuer.

Question. — Alors ce que vous désirez c'est l'une ou l'autre de deux possibilités.

Krishnamurti. — Il y a des douzaines de possibilités.

178

Question. — Votre soif de trouver une autre façon de vivre est si forte que vous voulez adopter cette autre façon, quelle qu'elle soit. Vous voulez en faire l'expérience et la comparer.

Krishnamurti. — Non, monsieur. Vous appuyez, à ce que je crains, sur quelque chose que je n'ai pas exprimé clairement.

Ou bien nous acceptons notre mode de vie tel qu'il est, comprenant la violence et tout ce qui s'ensuit, ou bien nous affirmons qu'il en existe un autre, et que l'intelligence humaine est capable de le trouver — et où la violence n'existe pas, voilà tout. Et nous disons que cette violence existera tant que notre mode de vie s'appuiera sur la comparaison, la suppression, le conformisme, et les disciplines exercées sur soi-même conformément à un modèle. Ce mode de vie implique conflit et par conséquent violence.

Question. — Mais d'où surgit la confusion? Ne tourne-t-elle pas autour du « je »?

Krishnamurti. — Nous y viendrons, monsieur.

Question. — La chose qui se cache derrière la violence, la racine, l'essence même de la violence, c'est le fait d'influencer. Du fait même que nous existons, nous exerçons une influence sur le reste des choses existantes. Je suis ici. En respirant l'air qui m'entoure, j'exerce une influence sur ce qui vit dans cet air. Donc, je prétends que l'essence de la violence c'est le fait que nous influençons, ce qui est propre à toute existence. Quand notre influence s'exerce dans le désaccord, le manque d'harmonie, nous lui donnons le nom de violence. Mais si notre influence s'exerce en harmonie c'est l'autre aspect de la violence — mais c'est encore influencer. On influence contre et ceci c'est violenter, ou bien on influence avec.

Krishnamurti. — Monsieur, puis-je vous demander quelque chose? Etes-vous préoccupé de la violence? Vous sentez-vous impliqué en elle? Vous intéresse-t-elle cette violence qui existe en vous-même et dans le monde dans le sens que vous sentez : « Je ne peux plus vivre comme cela »?

Question. — Quand nous nous révoltons contre la violence, nous créons un problème parce que toute révolte est violence.

Krishnamurti. — Je comprends, monsieur, mais comment allons-nous nous y prendre avec ce sujet?

Question. — Je ne suis pas d'accord avec la société. La révolte contre les idées — l'argent, l'efficacité à tout prix — c'est ma forme de violence.

Krishnamurti. — Oui, je comprends. Par conséquent, se rebeller contre la culture actuelle, l'éducation et ainsi de suite, c'est violence?

Question. — C'est comme cela que je vois ma violence.

Krishnamurti. — Oui et, par conséquent, qu'allez-vous faire à son égard? C'est de cela que nous cherchons à discuter.

Question. — C'est ce que je voudrais savoir.

Krishnamurti. — C'est également ce que moi je veux savoir. Donc tenons-nous en à ce sujet.

180

Question. — Si j'ai un problème avec quelqu'un, je le comprends beaucoup plus clairement. Si je hais quelqu'un je le sais. Je réagis contre cet état. Mais avec la société ce n'est pas possible.

Krishnamurti. — Considérons ceci, s'il vous plaît. Je suis en révolte contre la structure morale de la société. Je me rends compte que la révolte pure et simple contre cette moralité, si je ne parviens pas à découvrir quelle est la vraie moralité, est violence. Quelle est la vraie moralité? A moins de la découvrir et de la vivre, simplement se révolter contre la structure de la moralité sociale n'a pas de sens.

Question. — Mais, monsieur, on ne peut connaître la violence que quand on l'a vécue.

Krishnamurti. — Ah oui! Vous prétendez qu'il faut que je vive avec violence avant de pouvoir comprendre autre chose?

Question. — Vous avez dit que pour comprendre la vraie moralité, il faut la vivre. Mais il faut vivre violemment si l'on veut voir ce que c'est que l'amour.

Krishnamurti. — Quand vous prétendez que je dois vivre de cette façon-là, vous m'imposez une idée de ce que vous pensez être l'amour.

Question. — Vous répétez vos propres paroles.

Krishnamurti. — Monsieur, il y a la moralité sociale contre laquelle je me révolte parce que je vois son absurdité. Quelle est la véritable moralité qui ne connaît pas la violence?

181

Question. — La moralité ne consiste-t-elle pas à dominer la violence? Il y a certes de la violence en tout le
monde. Il y a des gens — soi-disant supérieurs — qui la
contrôlent, mais de nature elle est toujours là. Que ce
soit au cours d'un orage ou quand un animal sauvage en
tue un autre, ou qu'on voie mourir un arbre, la violence
est partout.

Krishnamurti. — Il peut y avoir une forme supérieure
de la violence, plus subtile, plus ténue, et puis il y a
des formes brutales. La vie tout entière est violence,
petite ou grande. Si l'on veut découvrir la possibilité de se
sortir de toute cette structure de violence, il faut l'approfondir. Et c'est ce que nous cherchons à faire.

Question. — Mais, monsieur, qu'entendez-vous par
« approfondir »?

Krishnamurti. — Par « approfondir » j'entends tout
d'abord l'examen, l'exploration de «ce qui est». Pour explorer il faut qu'il y ait libération de toute conclusion, de tout
préjugé. Alors avec une telle liberté je contemple le problème de la violence. Voilà ce que j'entends par l'«approfondir».

Question. — Et alors il arrive quelque chose?

Krishnamurti. — Non, il ne se passe rien.

Question. — Je constate que ma réaction contre la
guerre est celle-ci: « Je ne veux pas me battre »... Mais je
m'aperçois que ce que je fais c'est de chercher à me
tenir à l'écart, à vivre dans un autre pays ou bien à
éviter les gens que je n'aime pas. Simplement je me
tiens à l'écart de la société américaine.

182

Krishnamurti. — Elle dit : « Je ne suis pas contestataire, je ne me livre pas à des démonstrations, mais je ne vis pas dans le pays où se passe tout ceci. J'évite les gens que je n'aime pas. » Tout ceci est une forme de violence. S'il vous plaît, prêtons quelque attention à ce problème, permettons à nos esprits de le comprendre. Que peut faire un homme quand il voit tout le tracé de notre comportement, politique, religieux et économique. Un comportement où la violence est toujours plus ou moins implicite, quand il se sent pris dans un piège qu'il a lui-même tendu ?

Question. — Puis-je suggérer que la violence n'existe pas, mais que c'est la pensée qui l'engendre ?

Krishnamurti. — Ah bien ! Je tue quelqu'un puis j'y pense et, par conséquent, c'est violence. Non, monsieur. Nous sommes en train de jouer avec les mots. Ne pourrions-nous pas approfondir tout ceci un peu ? Nous avons vu que quand je m'impose quelque chose psychologiquement, une idée ou une conclusion, cela engendre de la violence (nous nous en tiendrons à ceci pour le moment). Je suis cruel — par mes paroles et dans mes sentiments. Sur cet état je surimpose « je ne dois pas l'être », et je me rends compte que même cela est violence. Que puis-je faire à l'égard de ce sentiment de cruauté sans lui surimposer autre chose ? Puis-je le comprendre sans le supprimer, sans le fuir, sans avoir recours à aucune forme d'évasion ou de substitution ? Voici le fait — je suis cruel. Pour moi c'est un problème et aucun raisonnement tel que « vous devriez, vous ne devriez pas », ne peut le résoudre. C'est là une question qui me touche et que je veux résoudre, parce que je vois qu'il pourrait peut-être y avoir une autre façon de vivre. Et alors je me dis : « Comment puis-je être libéré de cette cruauté sans pour cela engendrer un conflit », parce que dès l'instant où je donne naissance à un conflit pour me débarrasser de la cruauté, j'ai déjà donné naissance à la violence. Donc, tout d'abord, il faut que je voie très clairement ce qu'implique le conflit. S'il existe un conflit en ce qui concerne la cruauté — dont je veux me libérer — de ce conflit même surgit la violence. Comment m'affranchir de la cruauté sans tomber dans le conflit ?

Question. — Acceptez-la.

Krishnamurti. — Je me demande ce que nous entendons par « accepter notre cruauté ». Voilà le problème ! Je n'accepte pas, je ne rejette pas. A quoi cela peut-il servir de dire « je l'accepte » ? Ma peau est brune, c'est un fait — il en est ainsi. Pourquoi l'accepter, pourquoi le rejeter ? Le fait c'est que je suis cruel.

Question. — Si je vois que je suis cruel et que j'accepte cet état de choses, je le comprends ; mais, de plus, j'ai peur d'agir avec cruauté et de continuer dans ce sens.

Krishnamurti. — Oui. J'ai dit : « Je suis cruel ». Je n'accepte ni ne rejette. C'est un fait, et c'est un autre fait que, dès l'instant où il y a conflit et parce que je cherche à me débarrasser de ma cruauté, il y a violence. Par conséquent j'ai deux choses sur les bras : la violence, la

184

cruauté, et le moyen de m'en débarrasser sans effort. Mais que faire? Toute ma vie je combats et je lutte.

Question. — La question n'est pas la violence, mais la création d'une image.

Krishnamurti. — Cette image est imposée, autrement dit, on surimpose cette image sur « ce qui est ». D'accord?

Question. — Tout cela provient de l'ignorance où l'on est de son être véritable.

Krishnamurti. — Je ne sais pas très bien ce que vous entendez par « votre être véritable ».

Question. — Je veux dire que nous ne sommes pas séparés du monde, nous sommes le monde et, par conséquent, nous sommes responsables de la violence qui règne à l'extérieur.

Krishnamurti. — Oui. Il dit, notre être véritable consiste à voir que nous sommes le monde et que le monde c'est nous-mêmes, que la cruauté et la violence ne sont pas quelque chose de différent mais font partie de nous-mêmes. C'est là ce que vous voulez dire?

Question. — Non. Mais elles font partie de l'ignorance.

Krishnamurti. — Vous prétendez donc qu'il y a l'être véritable et l'ignorance? Qu'il y a deux états. Notre être véritable qui est recouvert et voilé par l'ignorance. Pourquoi? C'est une vieille théorie hindoue tout cela. Comment le savez-vous, qu'il existe un être véritable qui est voilé par l'illusion et l'ignorance?

Question. — Si nous nous rendons compte que tous

185

nos problèmes existent en fonction des deux opposés, tous les problèmes disparaîtront.

Krishnamurti. — Tout ce que nous avons à faire est de ne pas penser par opposés. Est-ce là ce que nous faisons, ou bien n'est-ce qu'une idée?

Question. — Mais, monsieur, la dualité n'est-elle pas implicite dans la pensée?

Krishnamurti. — Nous arrivons à un certain point puis nous nous en éloignons. Je sais que je suis cruel — pour différentes raisons psychologiques. C'est là un fait. Comment m'en libérer sans effort?

Question. — Qu'entendez-vous par « sans effort »?

Krishnamurti. — J'ai expliqué ce que j'entendais par effort. Si je le supprime cela implique un effort dans le sens qu'il y a une contradiction : la cruauté et le désir de ne pas être cruel. Il y a alors un conflit entre « ce qui est » et « ce qui devrait être ».

Question. — Si je regarde vraiment je ne peux plus être cruel.

Krishnamurti. — Je me propose de découvrir et de ne pas accepter d'affirmation. Je veux découvrir s'il est possible ou non d'être libéré de la cruauté, s'il est possible d'en être libéré sans supprimer, sans fuir, sans contrainte. Que peut-on faire?

Question. — La seule chose à faire c'est de l'exposer au grand jour.

Krishnamurti. — Pour l'exposer il faut que je lui permette de surgir, de se montrer — non pas dans le sens

186

de devenir encore plus cruel. Mais pourquoi est-ce que je ne lui permets pas de surgir? Tout d'abord j'en ai peur. Je ne sais pas si, en lui permettant de se montrer, je ne pourrais pas devenir plus cruel encore. Et en l'exposant, suis-je capable de la comprendre? Suis-je capable de regarder tout cela avec grand soin, c'est-à-dire avec attention? Je ne peux le faire que si mon énergie, l'urgence et l'intérêt que je porte à la question coïncident au moment où cette cruauté est exposée. A ce moment précis, il faut qu'il y ait urgence de comprendre et un esprit exempt de toute déformation. Il faut que j'aie une immense énergie pour regarder. Et ces trois facteurs doivent exister instantanément au moment où la cruauté est exposée. Autrement dit, si je suis assez sensitif, assez libre pour disposer de cette énergie, de cette intensité, de cette attention vitale. Et cette attention intense, comment l'avoir? Comment l'obtenir?

Question. — Si nous en arrivons au point de désirer désespérément comprendre, alors nous disposons de cette attention.

Krishnamurti. — Je comprends. Je dis tout simplement: « Est-il possible d'être attentif? » Attendez, voyez ce que cela implique, ce que contient la question. N'attribuez pas un sens superflu, n'introduisez pas une nouvelle série de paroles. Me voici. Je ne sais pas ce que signifie l'attention. Il est possible que je n'aie jamais fait attention à quoi que ce soit, parce que pendant la plus grande partie de ma vie je suis inattentif. Et subitement vous venez et

187

vous dites : « Voyons, dirigez votre attention vers la cruauté », et je dis : « Oui, oui » et je suis d'accord, mais qu'est-ce que cela veut dire ? Comment puis-je susciter cet état d'attention ? Existe-t-il une méthode ? S'il existe une méthode et que je m'y exerce pour devenir attentif, j'y mettrai du temps. Et pendant ce temps je continue dans mon inattention, et par conséquent j'entraîne de nouvelles destructions. Donc tout ceci doit se passer instantanément.

Je suis cruel. Je ne veux rien supprimer, je ne vais pas m'évader. Ceci ne veut pas dire que je suis décidé à ne pas fuir, que je me suis décidé à ne pas supprimer cette cruauté. Mais je vois et je comprends avec intelligence qu'aucune suppression, aucun contrôle sur moi-même, aucune évasion, ne peuvent résoudre le problème ; et par conséquent j'ai rejeté toutes ces choses. Et maintenant j'ai cette intelligence qui a pris naissance dans ma compréhension de tout ce que la suppression, l'évasion et la domination ont de futile et de vain. Avec cette intelligence j'examine, j'observe la cruauté. Je me rends compte que pour l'observer, il faut qu'il y ait une grande attention et que cette attention ne peut se produire que si je suis conscient de mon inattention. Ce qui m'intéresse par conséquent c'est de prendre conscience de mon inattention. Qu'est-ce que cela veut dire ? Parce que si je m'efforce de m'exercer à l'attention, cela devient méca-nique, stupide, dépourvu de sens ; tandis que si je deviens attentif ou si je prends conscience de mon manque

188

d'attention, je commence à découvrir comment l'attention prend naissance. Pourquoi suis-je inattentif quand il s'agit des sentiments des autres, de ma façon de parler, de manger, de ce que les autres disent et font? En comprenant l'état négatif je tomberai sur le positif, qui est attention. Par conséquent j'examine, je cherche à comprendre comment cette inattention prend naissance.

Ceci est une question très grave parce que le monde entier est en flammes. Si je fais partie de ce monde et que ce monde est moi-même, il faut que je mette fin à ce feu. Nous demeurons naufragés devant ce problème. Parce que c'est un manque d'attention qui a introduit tout ce chaos dans le monde. On peut s'apercevoir de ce fait curieux que l'inattention est négation — manque d'attention, manque d'être sur place au moment même. Comment est-il possible de prendre conscience de son inattention d'une façon si complète, qu'elle se transforme en attention? Comment puis-je prendre conscience de cette cruauté qui est en moi d'une façon complète et instantanée, avec une énergie intense, de sorte qu'il n'y ait aucun frottement, aucune contradiction, et que ma prise de conscience soit totale et entière? Comment aboutir à cet état de choses? Nous avons dit que ce n'était possible que là où il y a une attention complète, et cette attention complète n'existe pas parce que notre vie se passe à gaspiller notre énergie dans notre état d'inattention.

Chapitre X

CHANGEMENT RADICAL

Quel est l'instrument qui regarde ?

(Saanen, Suisse, 6 août 1969)

Krishnamurti. — L'homme n'a pas subi de changement profond. Il s'agit pour nous d'une révolution radicale se produisant en lui, et non pas de la surimposition d'un nouveau modèle de comportement recouvrant l'ancien. Seule nous intéresse la mutation fondamentale de tout ce qui se passe réellement et intérieurement en nous. Comme nous l'avons déjà dit, le monde et nous-mêmes ne sommes pas deux entités différentes, le monde c'est nous et nous sommes le monde. L'intention de provoquer un immense changement à la racine même de tout notre être, une révolution, une mutation, une transformation — peu importe le mot dont nous nous servirons — voilà quel sera l'objet de ces discussions.

Hier nous nous demandions si l'on est né capable de se contempler clairement sans déformation — la déformation étant une tendance à évaluer, à juger, à obtenir, à se débarrasser de « ce qui est »? Tous ces facteurs nuisent à une perception claire, nous empêchent de voir d'une

190

façon intime et exacte « ce qui est ». Ce matin il me semble que nous ferions bien de consacrer notre temps à discuter, à parler ensemble de la nature même de l'observation, de la manière de regarder, d'écouter, de voir. Nous chercherons à découvrir s'il est possible de voir, et cela non pas avec une seule partie de notre être, visuelle, intellectuelle ou émotionnelle. Est-il possible en aucune façon d'observer de très près sans qu'il y ait aucune déformation ? Voilà une question qui vaut la peine d'être approfondie. Qu'est-ce que voir ? Sommes-nous capables de nous regarder, de saisir les faits fondamentaux, la base même de nous-mêmes — laquelle est faite d'avidité, d'envie, d'anxiété, de peur, d'hypocrisie, tromperie et ambition — sommes-nous capables simplement d'observer tout cela sans qu'intervienne aucune déformation ?

Ne pourrions-nous pas ce matin consacrer un certain temps à tenter d'apprendre ce que c'est que de regarder ? Apprendre est un mouvement constant, un renouveau de chaque instant. Il ne s'agit pas d'avoir appris « quelque chose » et de contempler à partir de cette science acquise. En écoutant les paroles prononcées et en nous observant nous-mêmes quelque peu, nous apprenons quelque chose, nous ressentons quelque chose ; et c'est à partir de ce que nous avons appris ou ressenti que nous regardons. Nous regardons appuyés sur la mémoire de ce que nous avons appris, de ce que nous avons ressenti, de ce que nous avons expérimenté ; c'est accompagnés par le sou-

191

venir de ces choses, que nous regardons. Et par conséquent nous ne regardons pas vraiment, nous n'apprenons
pas vraiment. Apprendre sous-entend qu'un esprit
recommence à nouveau, chaque fois. Il apprend dans un
renouveau constant. Ceci étant compris nous ne portons
aucun intérêt à la culture de la mémoire, il s'agit plutôt
d'observer et de voir à chaque instant ce qui se passe dans
l'immédiat. Nous allons veiller à être très lucides, très
attentifs, afin que, ce que nous aurons pu apercevoir ou
apprendre, ne devienne pas un souvenir à partir duquel
nous regardons, ce qui constitue déjà une déformation.
Il s'agit chaque fois de regarder comme si c'était la première fois! Regarder, observer « ce qui est » en s'appuyant
sur la mémoire signifie que celle-ci dicte ou moule ou
oriente votre observation, laquelle est par conséquent
déjà faussée. Pouvons-nous aller plus avant?

Il s'agit pour nous de découvrir ce que c'est qu'observer. Le savant peut regarder quelque chose avec un
microscope et observer de près; il y a un objet extérieur
et il le regarde sans aucun préjugé, avec cependant une
certaine science qui est nécessaire pour regarder. Mais
nous, en cet instant, nous proposons de regarder toute
la structure, le mouvement de la vie dans son entier, et,
dans son entier, toute cette entité qui est « moi-même ».
Tout cela doit être vu non pas intellectuellement, ni
émotivement, ni à partir d'une conclusion préconçue sur
le bien et le mal, avec l'arrière-pensée « ceci ne doit pas
être », « ceci devrait être ». Donc, avant de commencer

192

à regarder d'une façon intime, il nous faut avoir pris conscience de ce processus d'évaluation, de jugement, d'affirmation qui se poursuit sans cesse en nous et qui est un obstacle à toute observation juste.

Or, ce qui nous intéresse n'est pas tant de regarder, mais quelle est l'entité qui regarde? Cet instrument qui regarde est-il taché, déformé, torturé, accablé de fardeaux? Ce qui est important n'est pas tellement la vision, mais l'observation de vous-même, l'instrument qui regarde. Si j'ai admis certaines conclusions, par exemple celles qu'implique le nationalisme et que j'observe, imprégné de ce conditionnement puissant, cette exclusivité tribale que l'on appelle le nationalisme, très évidemment j'observe à partir de puissants préjugés; et par conséquent je ne peux pas voir clairement. Ou bien encore si j'ai peur de regarder, mon regard est évidemment faussé; ou encore si j'ai l'ambition d'arriver à l'illumination, ou d'obtenir une situation plus éminente, ou n'importe quoi d'autre, tout cela aussi est un obstacle à la clarté de la perception. Il faut être conscient de toutes ces choses, conscient de l'instrument qui regarde et de son degré de pureté.

Question. — Mais si on regarde et qu'on s'aperçoit que l'instrument n'est pas pur, que peut-on faire?

Krishnamurti. — Je vous en prie, suivez ceci soigneusement. Nous avons dit: observer « ce qui est ». L'activité fondamentale égoïste, auto-centrique, ce qui résiste, ce qui peut se sentir frustré, qui peut se mettre en colère

193

— observer tout cela. Puis nous avons parlé de considérer l'instrument qui observe, et de découvrir si cet instrument est propre, pur. Voyez, nous avons avancé ; partant du fait jusqu'à l'instrument qui se propose de regarder. Nous examinons si cet instrument est propre, sans tache, et nous nous apercevons qu'il n'en est rien. Que faire alors ? L'intelligence en est aiguisée. Tout à l'heure j'avais l'unique souci d'observer le fait, le « ce qui est ». Je l'observais, puis j'ai changé quelque peu l'objet de mon observation et je me suis dit : « Il me faut observer l'instrument qui observe, il me faut regarder l'instrument qui regarde, voir s'il est sans tache. » Or, cette question même implique de l'intelligence — vous me suivez, vous suivez tout ceci ? Et ainsi l'intelligence, l'esprit, le cerveau en sont aiguisés.

Question. — Est-ce que tout ceci n'implique pas qu'il y a un niveau de conscience où n'existe ni division, ni conditionnement ?

Krishnamurti. — Je ne sais pas ce que cela implique. Simplement j'avance petit à petit. Ce mouvement n'est pas un mouvement fragmentaire. En lui pas de brisure. Mais tout à l'heure quand je regardais, c'était sans intelligence. Je me disais : « Il faut que je change quelque chose », « il ne faut rien changer », « ceci ne doit pas être », « ceci est bon, ceci est mauvais », « ceci devrait être » — tout cela. A partir de toutes ces conclusions je regardais et il ne se passait rien du tout. Maintenant je me rends compte qu'il faut, pour regarder, un instrument extraor-

194

dinairement propre. Il y a là un mouvement constant de l'intelligence et non pas un état fragmentaire. Mais je voudrais approfondir ceci.

Question. — Mais cette intelligence elle-même est-elle énergie? Si elle dépend de quelque chose elle s'épuisera.

Krishnamurti. — Pour le moment ne vous souciez pas de cela; mettons de côté la question de l'énergie.

Question. — Mais vous l'avez déjà, tandis que pour nous cela paraît un raffinement se superposant à un autre raffinement, l'élan restant toujours le même.

Krishnamurti. — Oui, est-ce cela ce qui se passe — un raffinement? Ou bien l'esprit, le cerveau, le cœur, l'être tout entier ne se sont-ils pas émoussés par l'effet de différents éléments tels que les pressions ambiantes, les activités et ainsi de suite. Mais nous disons que l'être tout entier doit être complètement éveillé.

Question. — Ça c'est le point délicat.

Krishnamurti. — Attendez, j'y viendrai, vous verrez. Dans l'intelligence il n'y a pas d'évolution. L'intelligence n'est pas le produit du temps. L'intelligence, c'est cette qualité de lucidité sensitive capable de prendre conscience de « ce qui est ». Mon esprit est émoussé et je me dis: « Il me faut me regarder moi-même. » Cet esprit émoussé s'efforce de se regarder soi-même. Très évidemment il ne voit rien du tout. Ou bien il résiste, ou il rejette, ou il se conforme; c'est un esprit des plus respectables, un esprit petit bourgeois qui regarde.

Question. — Vous avez commencé par parler de systèmes idéologiques, de moralité, et maintenant vous allez plus loin et semblez suggérer que nous devons avoir recours à l'observation de nous-mêmes, que toutes les autres méthodes sont futiles. Mais ceci même n'est-il pas aussi une idéologie?

Krishnamurti. — Non, monsieur. Je dis au contraire que si vous regardez à partir d'une idéologie, la mienne comprise, dès lors vous êtes perdu et vous ne regardez pas du tout. Vous en avez tellement d'idéologies, celles qui sont respectables, celles qui ne le sont pas et bien d'autres encore; et vous regardez en donnant asile à ces idéologies dans votre cerveau et dans votre cœur; et elles ont émoussé votre cerveau, votre esprit, tout votre être. Maintenant un mental émoussé, terni, se propose de contempler, or, il est évident qu'un tel esprit peut regarder n'importe quoi, peut méditer, peut visiter la lune, il reste ce qu'il était, un esprit émoussé. Cet esprit observe, puis survient quelqu'un qui lui dit : « Regardez un peu, mon ami, vous avez l'esprit obtus et terni, ce que vous verrez le sera tout autant; parce qu'il est obtus tout ce que vous pourrez voir le sera aussi. » Mais c'est là une très grande découverte, qu'un esprit émoussé, quand il observe quelque chose d'extraordinairement vivant, réduit l'objet de son observation à son propre état.

Question. — Mais cette entité n'arrête pas de tendre vers quelque chose.

Krishnamurti. — Attendez, avançons lentement si vous le voulez bien. Avancez pas à pas avec l'orateur.

196

Question. — Si un esprit terni reconnaît qu'il l'est, il l'est déjà moins.

Krishnamurti. — Mais je ne le reconnais pas! Ce serait une chose excellente si l'esprit terne se voyait comme étant tel, mais ce n'est pas ce qui arrive. Ou bien il s'efforce de se polir de plus en plus, recherchant la science, des connaissances diverses et tout ce qui s'ensuit, ou bien, s'il en prend conscience, il dit: « Cet esprit terne est incapable de regarder clairement. » Et la question suivante se pose alors: comment cet esprit terni, taché, peut-il devenir extraordinairement intelligent, de façon à ce que cet instrument grâce auquel on regarde soit sans tache?

Question. — Prétendez-vous que quand l'esprit se pose la question sous cette forme, il a mis fin à son état? Peut-on faire des choses justes pour des raisons qui ne le sont pas?

Krishnamurti. — Non. J'aimerais bien que vous laissiez vos conclusions de côté pour écouter ce que dit l'orateur.

Question. — Non monsieur. Vous, suivez-moi.

Krishnamurti. — Ce que vous dites c'est ceci: vous essayez de vous emparer de quelque chose qui puisse donner de la clarté, de l'acuité à un esprit brouillé. Ce n'est pas là ce que je dis. Moi je dis: tournez votre attention vers l'état de votre esprit.

Question. — Sans que se poursuive l'éternel mouvement?

Krishnamurti. — Observer un esprit émoussé sans que se poursuive ce mouvement continu de déformation — comment cela peut-il arriver? Mon esprit émoussé regarde; et il n'y a rien à voir. Je me demande alors comment il serait possible de le rendre plus clair? Mais cette question n'a-t-elle pas pris naissance du fait que j'ai comparé l'esprit terne avec un autre esprit plus brillant, me disant: « Il faudrait que je lui ressemble »? Vous me suivez? Or, la comparaison même n'est qu'une manifestation de l'esprit obtus.

Question. — Mais l'esprit obtus peut-il se comparer à un esprit brillant?

Krishnamurti. — N'est-il pas constamment à se comparer avec un esprit brillant? C'est là ce que nous appelons l'évolution.

Question. — L'esprit émoussé ne compare pas, il demande « pourquoi? » Ou, enfin, pour exprimer la chose un peu différemment: on se figure que si l'on pouvait être un peu plus intelligent, on pourrait en tirer quelque chose de plus.

Krishnamurti. — Cela revient au même. J'ai donc découvert quelque chose. L'esprit terne s'est dit: c'est par comparaison que je suis terne, je suis émoussé parce que ce monsieur là-bas est brillant. Il n'a pas conscience par lui-même d'être émoussé, ni terne. Ce sont deux états différents. Si je prends conscience de ma médiocrité parce que vous, vous êtes brillant, c'est un point de vue. Mais si je prends conscience de ma médiocrité sans comparaison, c'est tout à fait autre chose. Quel est le cas pour vous? Etes-vous en train de vous comparer pour dire: « En conséquence, mon esprit est médiocre, émoussé »? Ou bien prenez-vous conscience de ce que vous êtes terne et médiocre, sans aucune comparaison? Est-ce un état possible? Je vous en prie, attardons-nous sur ce point un petit peu.

Question. — Mais, monsieur, est-ce possible?

Krishnamurti. — S'il vous plaît, accordons deux minutes à cette question. Ai-je conscience d'avoir faim parce que vous me dites qu'il en est ainsi, ou bien est-ce que je ressens la faim? Si vous me dites que j'ai faim, je ressentirai peut-être quelques tiraillements, mais ce n'est pas une faim véritable, tandis que si j'ai faim, *j'ai* faim. Il me faut donc voir très clairement si l'imperfection de mon esprit est le résultat d'une comparaison. A partir de là nous pouvons avancer.

Question. — Quel est le facteur qui m'a fait saisir les choses de façon à laisser la première question de côté, et ne plus m'intéresser qu'à la question de savoir si mon esprit est émoussé ou non?

Krishnamurti. — C'est de voir cette vérité que la comparaison émousse l'esprit. A l'école quand on compare un garçon à un autre, on le détruit par cette comparaison. Si vous dites à un frère plus jeune qu'il doit être aussi intelligent que son aîné, vous avez détruit le plus jeune, n'est-ce pas? Ce qui vous intéresse ce n'est pas le plus jeune des deux frères, mais l'intelligence de l'aîné.

Question. — Mais un esprit médiocre est-il capable de regarder pour découvrir s'il l'est?

Krishnamurti. — C'est ce que nous allons découvrir. S'il vous plaît, recommençons à nouveau. Ne pouvons-nous pas nous en tenir à ce point ce matin?

Question. — Mais s'il existe en moi cet élan, quelle importance cela a-t-il de savoir si je suis médiocre en moi-même ou par comparaison?

Krishnamurti. — C'est ce que nous allons découvrir. S'il vous plaît, avancez avec l'orateur pendant quelques minutes, sans accepter ni rejeter, mais en vous observant vous-même. Au commencement de la causerie nous avons dit qu'une révolution doit se produire à la racine même de notre être, et si ceci doit arriver nous devons savoir comment observer ce que nous sommes. Notre observation dépend de la clarté, de l'ouverture, de l'intelligence de l'esprit qui regarde. Mais la plupart d'entre nous sommes émoussés, obtus et quand nous regardons, nous disons que nous ne voyons rien; nous voyons bien la colère, la jalousie et ainsi de suite, mais apparemment sans résultat. Par conséquent, le sujet de notre préoccupation c'est la médiocrité de notre esprit et non plus l'objet de son observation. Cet esprit médiocre se dit: « Il faudrait que je sois plus habile afin de voir. » Il a donc établi un modèle de ce que serait le brillant, l'intelligence, et il s'efforce de l'imiter. Alors quelqu'un vient lui dire: « La comparaison ne produira jamais que du médiocre. » Lui se dit donc: « Voilà une chose à laquelle

200

il faut que je fasse très attention, je ne vais plus comparer. Je connaissais ma médiocrité par comparaison. Et si je ne compare pas, comment saurai-je que je le suis ? » Alors je me dis : « Je ne vais pas l'appeler émoussé. » Je ne vais pas me servir du mot « émoussé », pas du tout. Je vais observer « ce qui est », sentir que c'est émoussé. Parce que dès l'instant où je lui accole une épithète, je lui ai donné un nom et, de ce fait, il en est devenu émoussé. Mais si je ne lui donne pas le nom d'émoussé, si je me contente d'observer, j'ai écarté la comparaison, j'ai écarté le mot « émoussé », il ne reste plus que « ce qui est ».

Ceci n'est pas difficile, n'est-ce pas ? Je vous en prie, regardez la chose par vous-même. Regardez ce qui s'est passé ! Regardez où en est mon esprit maintenant.

Question. — Je vois que mon esprit est trop lent.

Krishnamurti. — Voulez-vous vous contenter d'écouter, je vais aller très lentement, pas à pas.

Comment me suis-je rendu compte de ce que mon esprit est stupide ? Parce que vous me l'avez dit ? Parce que j'ai lu des livres qui paraissent extraordinairement habiles, compliqués, subtils ? Ou bien j'ai vu des gens très brillants et par comparaison je me trouve stupide ? C'est une chose à découvrir. Donc je ne vais pas comparer. Je me refuse absolument à me comparer à quelqu'un d'autre. Dès lors, comment puis-je savoir que je suis stupide ? Ne serait-ce pas le mot qui m'empêche d'observer ? Ou bien le mot ne prend-il pas la place de « ce qui est vraiment » ? Vous me suivez ? Donc je ne vais utiliser aucun mot, je ne vais pas lui accoler l'épithète de stupide, pas plus que je vais dire qu'il est trop lent, je ne vais l'appeler rien du tout, je vais découvrir « ce qui est ». Donc me voilà débarrassé de la comparaison, chose extrêmement subtile. Mon esprit est désormais d'une acuité extraordinaire parce qu'il ne compare pas, il ne se sert d'aucun mot pour décrire « ce qui est », parce qu'il s'est rendu compte qu'aucune description n'est la chose qu'elle prétend décrire. Donc quel est réellement le fait de « ce qui est »?

Pouvons-nous aller plus avant? J'observe, l'esprit observe son propre mouvement. Et maintenant vais-je condamner ce que je vois, juger, peser pour dire « ceci devrait être », « ceci ne devrait pas être »? Mon regard est-il assujetti à aucune formule, aucun idéal, aucune résolution, aucune conclusion, lesquels inévitablement déformeraient « ce qui est »? Voilà une chose à approfondir. Si j'ai accepté une conclusion, je suis incapable de regarder. Si je suis un moraliste, une personne respectable, un Chrétien, un Védantiste, un homme « illuminé », ou ceci ou cela — tout cela m'empêche de regarder. Il faut par conséquent que je sois complètement libéré de tout cela. Je regarde bien en moi-même s'il existe une conclusion d'aucune espèce. Ainsi l'esprit étant devenu extraordinairement clair se dit encore : « Existe-t-il quelque peur? » J'observe et je me dis : « Il y a une peur, il y a un désir de sécurité, il y a un élan vers le plaisir » et ainsi de suite. Et je vois qu'il est absolument impos-

202

sible de regarder s'il existe une conclusion d'aucune sorte, un mouvement d'aucune sorte inclinant vers le plaisir. Et j'observe encore et m'aperçois que je suis encore assujetti à la tradition et qu'un esprit ainsi assujetti est incapable de regarder. Un intérêt, le plus profond, est d'observer, et cet intérêt profond me fait voir le danger de toute conclusion. Et la perception même d'un tel danger a pour effet de le rejeter. Ainsi mon esprit n'est plus dans la confusion, il ne renferme aucune conclusion, il ne pense pas en fonction de paroles, de descriptions, il ne compare pas. Un tel esprit est capable d'observer et ce qu'il observe c'est lui-même. Et par conséquent il s'est produit une révolution. Et maintenant vous êtes perdus — complètement perdus !

Question. — Je ne crois pas que cette révolution se soit produite. Aujourd'hui je suis parvenu à regarder l'esprit de la façon dont vous le dites, et l'esprit en est aiguisé, mais demain j'aurai oublié comment regarder.

Krishnamurti. — Vous ne pouvez pas l'oublier. Oubliez-vous un serpent ? Oubliez-vous un précipice ? Oubliez-vous la bouteille sur laquelle il est écrit « poison » ? Vous ne *pouvez pas* oublier. Ce monsieur a demandé : comment puis-je nettoyer l'instrument ? Et nous avons dit que la purification de l'instrument c'est la prise de conscience de ce que cet instrument est souillé, obscurci, impur. Et nous avons décrit ce qui le rend impur, et nous avons dit aussi que la description n'est pas la chose ; donc ne vous laissez pas prendre au filet des mots. Restez

avec la chose, sujet de la description, à savoir l'instrument
qui est souillé.

Question. — Mais si vous vous regardez de la façon
dont vous venez de le dire, il est certain que vous en
attendez quelque chose.

Krishnamurti. — Je n'attends rien. Je n'attends pas
une transformation, une illumination, une mutation, je
n'attends rien, parce que je ne sais absolument pas ce
qui va se passer. Une seule chose, je la sais et je la sais
clairement, c'est que l'instrument qui regarde est souillé,
obscurci, fissuré. C'est là tout ce que je sais et rien
d'autre. Et mon seul intérêt est celui-ci, comment cet
instrument peut-il être sain, guéri?

Question. — Mais pourquoi regardez-vous?

Krishnamurti. — Le monde est en feu et le monde
c'est moi-même. J'en suis bouleversé de fond en comble,
plongé dans une confusion atroce et il faut qu'il y ait
quelque part un ordre quelconque en tout ceci. Voilà ce
qui me pousse à regarder. Mais évidemment si vous dites :
« Mais le monde va très bien, pourquoi vous mettre en
souci. Vous êtes en bonne santé, vous avez un peu
d'argent, une femme, des enfants, une maison, laissez
tout cela de côté » — alors, évidemment, pour vous le
monde n'est pas en feu. Mais il *est en feu* malgré cela,
que cela vous plaise ou non. C'est donc là ce qui me
pousse à regarder et non pas un concept intellectuel ou
une excitation émotive, mais ce fait réel que le monde
est en feu — les guerres, la haine, la fausseté, les images,

204

les faux dieux et tout ce qui s'ensuit. Et c'est cette perception même de ce qui se passe extérieurement qui m'éveille intérieurement. Et j'affirme que l'état intérieur est l'état extérieur, qu'ils ne sont qu'une seule et même chose, indivisible.

Question. — Nous sommes revenus à notre point de départ. Le fait est que l'esprit médiocre n'aperçoit pas que c'est par comparaison qu'il veut être différent.

Krishnamurti. — Non, c'est un point de vue tout à fait faux. Je ne désire pas être différent ! Je n'aperçois qu'une seule chose c'est que l'instrument est souillé. Je ne sais plus qu'en faire. Donc je vais découvrir, cela ne veut pas dire que je veux changer l'instrument, ce n'est pas le cas.

Question. — Mais est-ce un obstacle à la vision que de se servir d'*aucune* parole ?

Krishnamurti. — Le mot n'est pas la chose. Par conséquent si vous regardez un objet, le mot prend une importance extraordinaire si vous ne le mettez pas de côté.

Question. — Je crois que je ne suis pas d'accord avec vous. Quand on regarde, on voit que l'instrument est fait de deux éléments : l'un est la perception et l'autre est expression. Il est impossible de séparer ces deux éléments. C'est un problème de linguistique et non pas de médiocrité. La difficulté réside dans le langage, dans le caractère imprécis de toute expression.

Krishnamurti. — Prétendez-vous que dans l'observation il y a perception et expression, et que les deux sont

Savoir scientif. = percevoir → penser → agir = 2 (moule. idéal
conn. philo = percevoir → agir → penser = UN
humaine

séparées? Par conséquent, quand vous percevez il faut qu'il y ait aussi clarté dans l'expression, une compréhension linguistique, et la perception et l'expression ne doivent jamais être séparées, doivent toujours aller de pair. Vous dites par conséquent qu'il est très important d'utiliser le mot juste.

Question. — Je dis « expression », je ne dis pas « intention ».

Krishnamurti. — Je comprends : expression. Et il surgit un nouvel élément : perception, expression et action. Si l'action n'est pas expression et perception — l'expression signifiant exprimer en paroles — dès cet instant il y a fragmentation. Et la perception n'est-elle pas action? La perception même est l'action. Comme quand je perçois un précipice et qu'il y a une action immédiate; cette action est l'expression de la perception. Et ainsi la perception et l'action ne peuvent jamais être séparées, et par conséquent l'idéal et l'action sont impossibles. Et si j'aperçois la stupidité que constitue un idéal, cette perception même de la stupidité est l'action de l'intelligence. C'est ainsi que l'observation de la médiocrité, la perception de la médiocrité, libèrent l'esprit de cette médiocrité, ce qui est action.

Moule = idéal

= voir

Et agir, c'est (psycho.) aimer, et aimer ce n'est pas agir, demain, ou selon un idéal, c'est agir immédiatement!

donc VoiR, ce qui est, percevoir, c'est agir ou aimer!

206 *Si tu vois une personne malade, tu lui viens en aide*

Chapitre XI

L'ART DE VOIR

Lucidité sans intervalle de temps. Un tigre en chasse un autre
(Saanen, Suisse, 8 août 1969)

Il me paraît important de comprendre la nature et la beauté de l'observation, de la vision. Tant que l'esprit n'est en aucune façon déformé — par des impulsions et des sentiments frôlant la névrose, par la peur, la tristesse, les soucis de santé, l'ambition, le snobisme, la recherche de puissance — il est incapable d'écouter, d'observer, de voir. L'art de voir, d'écouter, d'observer n'est pas une chose à cultiver, ce n'est pas une question d'évolution, de croissance graduelle. Quand on prend conscience d'un danger immédiat il y a une action immédiate, une réaction instinctive, instantanée du corps et de la mémoire. Dès l'enfance nous avons été conditionnés à agir de telle façon vis-à-vis d'un danger et ainsi l'esprit répond immédiatement, faute de quoi on aboutirait à la destruction physique. Nous nous demandons s'il est possible d'agir au sein même de la *vision*, phénomène ou mouvement où il n'y a aucun conditionnement. Un esprit est-il capable de réagir librement et instantanément à l'égard de toute déformation et par conséquent d'agir? Autrement dit, la perception, l'action et l'expression ne font qu'un, elles ne sont pas divisées, il n'y a aucune brisure. La vision même est action, expression de ce qui est vu. Quand il y a une prise de conscience de peur, observez-la de tellement près, avec une telle intimité, que l'observation même soit libératrice, soit action. Pouvons-nous approfondir cette question ce matin? Elle me paraît très importante, nous pourrons peut-être pénétrer dans l'inconnu. Mais un esprit qui est en aucune façon profondément conditionné par ses propres peurs, ses ambitions, son désespoir et tout ce qui s'ensuit, est absolument incapable de pénétrer une question qui exige un état extraordinairement sain, équilibré, harmonieux.

Notre question est donc celle-ci : un esprit — ce qui signifie notre être tout entier — est-il capable de prendre conscience de l'aspect particulier d'une perversion, d'un effort, d'une violence, et peut-il, en le voyant, y mettre fin non graduellement mais instantanément? Ceci signifie qu'entre la perception et l'action il ne s'écoule aucun temps. Quand vous voyez un danger il n'intervient aucun intervalle de temps, il se produit une action instantanée.

Nous sommes accoutumés à cette idée que nous deviendrons sages, éclairés petit à petit en observant, en nous y exerçant jour après jour. Voilà ce à quoi nous sommes habitués et c'est le modèle établi par notre culture et par notre conditionnement. Or, nous disons maintenant que ce processus graduel employé par l'esprit pour

208

s'affranchir de la peur ou de la violence a pour effet d'intensifier la peur et d'encourager de nouvelles violences.

Est-il possible de mettre fin à la violence — non seulement dans ses manifestations intérieures, mais dans les racines les plus profondes de notre être — de mettre fin à l'agressivité, à la recherche de puissance? Par le fait même de voir la question dans son entier, pouvons-nous en voir la fin sans permettre à l'élément temps d'intervenir? Nous nous proposons de discuter de cette question ce matin. En général, nous permettons au temps d'intervenir par un intervalle entre voir et agir, un retard entre « ce qui est » et « ce qui devrait être ». Il existe un désir de se débarrasser de « ce qui est », afin de devenir ou de parvenir à quelque chose d'autre. Or, la nature de cet intervalle de temps doit être très clairement saisie. Nous pensons de cette façon-là parce que, dès notre enfance, nous avons été élevés et dressés à penser comme suit: plus tard, petit à petit nous serons quelque chose. Quand il s'agit de facteurs extérieurs et techniques, il est facile de voir que le temps est nécessaire. Je ne peux pas devenir un menuisier de premier ordre, un médecin ou un mathématicien sans y consacrer de nombreuses années. On peut posséder les lumières — je n'aime pas me servir du mot intuition — permettant d'apercevoir une question mathématique alors qu'on est encore très jeune. On se rend compte aussi que pour cultiver la mémoire nécessaire à l'acquisition d'une nouvelle technique ou d'une nouvelle langue, le temps est absolument indispensable.

Je ne peux pas me mettre à parler l'allemand demain, il me faudra des mois. Je ne sais rien de la science électronique et pour la connaître il me faudra peut-être de nombreuses années. Donc, n'allons-nous pas confondre cet élément temps, qui est nécessaire pour se rendre maître d'une technique, avec le danger qu'il y a à permettre au temps d'intervenir dans la perception et l'action.

Question. — Devrions-nous parler aux enfants du fait qu'ils vont grandir?

Krishnamurti. — Un enfant doit forcément grandir. Il a tant de choses à apprendre. Quand on dit à un enfant: « Il te faut grandir », c'est plutôt péjoratif.

Question. — Mais, monsieur, une modification psychologique partielle se produit en nous.

Krishnamurti. — Evidemment! On a été en colère, ou bien on est en colère et alors on se dit: « Je ne dois pas être en colère », et petit à petit on y travaille et on amène un changement partiel. On est un peu moins coléreux, moins irritable et plus maître de soi.

Question. — Mais ce n'est pas cela que je voulais dire.

Krishnamurti. — Alors que voulez-vous dire, madame?

Question. — Je parle de quelque chose que l'on a pu avoir et que l'on a laissé tomber. Il pourra se produire une certaine confusion à nouveau mais elle ne sera pas la même.

Krishnamurti. — Oui, ce n'est pas toujours la même confusion, elle peut être quelque peu modifiée. Il y a une continuité modifiée, vous pouvez cesser de dépendre de quelqu'un, de ressentir la souffrance de la dépendance, celle de la solitude, en disant: « Je ne vais pas me permettre d'être dépendant. » Peut-être pourrez-vous vous en débarrasser. Et alors vous dites qu'il s'est produit un certain changement. La prochaine dépendance ne sera pas exactement pareille à celle d'autrefois. Puis, à nouveau, vous approfondirez la chose, vous laisserez tomber et ainsi de suite. Nous nous demandons donc s'il est possible de voir la nature de la dépendance tout entière, de s'en libérer instantanément — et non pas graduellement — tout comme vous agiriez de façon instantanée devant un danger. C'est ici une question véritablement importante qu'il nous faudrait approfondir non seulement verbalement mais intérieurement et profondément.

Regardez ce que cela implique. L'Asie tout entière croit à la réincarnation, autrement dit, que nous pourrons renaître à nouveau dans une nouvelle vie, laquelle dépendra de notre façon de vivre pendant celle-ci. Vous avez vécu avec brutalité, agressivement, de façon destructrice, et vous allez le payer pendant votre vie suivante. Vous ne deviendrez pas nécessairement un animal, mais vous retournerez à un état humain différent, vivant d'une vie plus douloureuse, plus destructrice parce que, auparavant, vous n'avez pas su vivre d'une vie de beauté. Ceux qui adoptent cette croyance à la réincarnation ne croient qu'à la parole, mais non pas à la profondeur de ce que cette parole signifie. Ce que vous faites *maintenant* importe infiniment en préparant demain — parce que « demain », qui est la prochaine vie, vous allez payer. Donc, cette idée de parvenir à des formes différentes petit à petit est essentiellement la même en Orient et en Occident. Il intervient toujours cet élément temps, de « ce qui est » et « de ce qui devrait être ». Pour aboutir à ce qui devrait être il faut du temps, le temps étant effort, concentration, attention. Et comme nous ne sommes pas très attentifs, pas très concentrés, il y a un effort constant pour s'exercer à l'attention, et pour cela il faut du temps.

Il doit y avoir une façon entièrement différente d'aborder ce problème. Il faut comprendre la perception, à la fois la vision et l'action ; ce ne sont pas deux choses séparées, elles ne sont pas divisées. Et nous devons aussi nous informer de la question de l'action, de « faire ». Qu'est-ce que l'action, qu'est-ce que faire ?

Question. — Comment un aveugle dépourvu de perception peut-il agir ?

Krishnamurti. — Avez-vous jamais essayé de mettre un bandeau sur vos yeux pendant une semaine ? Nous l'avons fait en manière d'amusement. Voyez-vous, il se développe d'autres sensitivités, vos sens en sont beaucoup plus aiguisés. Et avant d'atteindre un mur ou une chaise ou un bureau, vous savez par avance qu'ils sont là. Nous parlons d'être aveugles à nous-mêmes, intérieurement. Nous sommes terriblement conscients des choses extérieures, mais intérieurement nous sommes aveugles.

Qu'est-ce que l'action? L'action est-elle toujours basée sur une idée, un principe, une croyance, une conclusion, une expérience, un désespoir? Si on a une idée, un idéal, on se conforme à cet idéal et il y a un écart entre l'idéal et l'action. Cet intervalle c'est le temps. « Je serai cet idéal » — en m'identifiant à cet idéal, celui-ci, éventuellement, agira et il n'y aura pas de séparation entre l'idéal et l'action. Mais qu'est-ce qui se passe quand il y a l'idéal et l'action qui s'efforce de s'y adapter? Dans cet intervalle de temps qu'est-ce qui se passe?

Question. — Un état de comparaison incessante.

Krishnamurti. — Oui, la comparaison et tout ce qui s'ensuit. Mais quelle action se produit si vous voulez bien observer?

Question. — Nous négligeons le présent.

Krishnamurti. — Et quoi encore?

Question. — Contradiction.

Krishnamurti. — C'est une contradiction. Cela conduit à un état d'hypocrisie. Je suis en colère et mon idéal dit : « Ne sois pas en colère. » Je supprime, je contrôle, je me conforme, je m'adapte à cet idéal et, par conséquent, je suis dans un état de conflit incessant et je fais tout le temps semblant. L'idéaliste est un homme qui fait semblant. Et un tel état est conflit. Puis il y a d'autres éléments qui interviennent.

Question. — Pourquoi ne nous est-il pas permis de nous souvenir de nos anciennes vies? Notre évolution serait tellement plus aisée, plus facile.

213

Krishnamurti. — Vous croyez?

Question. — Nous pourrions éviter des erreurs.

Krishnamurti. — Qu'entendez-vous par la vie d'avant? Votre vie d'hier, d'il y a vingt-quatre heures?

Question. — Ma dernière incarnation.

Krishnamurti. — C'est-à-dire il y a environ cent ans? Et comment la vie en serait-elle facilitée?

Question. — On comprendrait mieux.

Krishnamurti. — S'il vous plaît, suivez pas à pas. Vous auriez le souvenir de ce que vous avez pu faire ou ne pas faire, de ce que vous avez souffert il y a cent ans et tout cela est exactement la même chose qu'hier. Hier vous avez fait beaucoup de choses que vous regrettez ou qui vous plaisent, qui ont été pour vous cause de souffrance, de désespoir ou de tristesse. Il y a le souvenir de toutes ces choses. Et vous aurez le souvenir d'un millier d'années, ce qui est essentiellement la même chose que celui d'un seul jour. Pourquoi donner à *cela* le nom de réincarnation et non pas l'incarnation d'hier qui prend naissance aujourd'hui. Voyez-vous, c'est un point de vue que nous n'aimons pas, parce que nous nous figurons être des créatures extraordinaires qui ont le temps de grandir, de devenir, de se réincarner. Vous ne regardez pas ce que c'est qui se réincarne — et c'est votre mémoire. Il n'y a rien de sacré ni de saint en tout cela. Votre mémoire d'hier prend naissance aujourd'hui dans ce que vous faites, le « hier » contrôlant ce que vous faites aujourd'hui. Et des milliers d'années de souvenirs agissent à travers

214

hier, à travers aujourd'hui. Ainsi il y a une incarnation constante du passé. N'allez pas vous figurer que ceci est une façon habile de s'en sortir, une explication facile. Quand on aperçoit l'importance de la mémoire et sa complète vanité, on ne reparlera plus jamais de réincarnation.

Nous demandons ce que c'est que l'action. L'action est-elle jamais libre, spontanée, immédiate? Ou est-elle toujours entravée par le temps qui est pensée, qui est mémoire?

Question. — J'observe un chat qui attrape une souris. Il ne réfléchit pas pour dire: « C'est une souris »! Instinctivement, immédiatement il l'attrape. Il me semble que nous aussi devons agir spontanément.

Krishnamurti. — Ne dites pas « nous devons, nous devrions ». S'il vous plaît, monsieur, je crois que nous ne dirons jamais « nous devons, nous devrions » à partir du moment où nous comprenons tout l'essentiel de l'élément temps. Nous nous demandons, non pas verbalement, ni intellectuellement, mais profondément et intérieurement, qu'est-ce que l'action? Dans l'action sommes-nous toujours liés par le temps? L'action qui naît d'un souvenir ou d'un état de peur ou de désespoir fait de nous des esclaves du temps. Existe-t-il une action qui soit absolument libre et par conséquent indépendante de celui-ci?

Question. — Vous dites qu'on voit un serpent et qu'on agit immédiatement, mais les serpents grandissent au courant de l'action. La vie n'est pas si simple, il n'existe pas un seul serpent mais deux et cela devient comme un problème mathématique. Et alors intervient le temps.

Krishnamurti. — Vous dites que nous vivons dans un monde de tigres et qu'on ne rencontre pas un seul tigre mais une douzaine sous forme humaine; ils sont violents, brutaux, avares, avides, chacun à la poursuite de son propre plaisir particulier. Et pour vivre et pour agir dans un tel monde il vous faut le temps de tuer un tigre après l'autre. Le tigre c'est moi-même — il est en moi — il y a en moi des douzaines de tigres. Et vous avez dit que pour se débarrasser de ces tigres l'un après l'autre, il faut du temps. C'est justement cela que nous mettons en question, absolument. Nous avons accepté qu'il faut du temps pour tuer graduellement ces serpents qui surgissent en moi l'un après l'autre. Le « moi » c'est le « vous » — le « vous » avec vos tigres, avec vos serpents — tout ceci c'est encore le « moi ». Et nous disons: pourquoi tuer tous ces animaux qui se poursuivent les uns les autres? Il y a en moi des milliers de « moi », des milliers de serpents, et avant de les avoir tous tués je serai mort moi-même.

Donc, existe-t-il une façon — je vous en prie, écoutez-moi, ne répondez pas, découvrez — de se débarrasser de tous ces serpents d'un seul coup et non pas graduellement? Puis-je apercevoir le danger de tous ces animaux, de toutes ces contradictions qui sévissent en moi et m'en affranchir instantanément? Si j'en suis incapable, il n'y a pas d'espoir pour moi. Je peux simuler bien des choses, mais si je ne peux pas balayer tout ce qui est en moi instantanément, je suis un esclave pour l'éternité, que je renaisse dans une autre vie ou dans dix mille autres vies. Il me faut donc trouver une façon d'agir, de regarder, qui mette instantanément fin, dès l'instant de la perception, à tel et tel dragon particulier, à tel ou tel singe qui est en moi.

Question. — Faites-le!

Krishnamurti. — « Faites-le. » Non, madame, s'il vous plaît, ceci est vraiment une question extraordinaire, et vous ne pouvez pas vous contenter de dire : « Faites ceci » ou « ne faites pas cela ». Cela exige une recherche intense ; n'allez pas me dire que vous y êtes parvenue ou que vous devriez faire ceci ou cela, cela ne m'intéresse pas — je veux, moi, découvrir.

Question. — Si on pouvait seulement le voir!

Krishnamurti. — Non, s'il vous plaît, pas de « si ».

Question. — Si je perçois quelque chose, devrai-je l'exprimer en paroles ou simplement lui permettre de demeurer en moi?

Krishnamurti. — Pourquoi traduisez-vous ce qui a été dit en langage simplifié dans vos propres paroles — pourquoi ne pouvez-vous pas voir ce qui est dit? Il y a en nous de nombreux animaux, de nombreux dangers. Puis-je en être affranchi par le fait d'une *seule* perception — en voyant d'une façon immédiate? Peut-être l'avez-vous fait, madame, je ne mets pas en question que vous l'ayez fait ou pas, ce serait de ma part de l'impudence. Mais je demande, est-ce possible?

Question. — L'action comporte deux éléments. Un élément intérieur impliquant décision qui se produit immédiatement. Mais l'action vers le monde extérieur exige du temps. La décision est une action intérieure. Mais pour jeter un pont unissant ces deux aspects de l'action, il faut du temps. Et il y a le problème du langage, de la transmission.

Krishnamurti. — Monsieur, je comprends. Il y a l'action extérieure qui exige du temps et l'action intérieure qui est perception et action. Comment peut-on jeter un pont entre cette action intérieure, issue d'une perception, d'une décision et une action immédiate, et cette autre action qui, elle, exige du temps? La question est-elle claire?

Si je peux me permettre de le faire remarquer, je ne crois pas que cela exige un pont. On ne jette pas un pont, on ne relie pas les deux. Je vais vous montrer ce que je veux dire. Je me rends compte très clairement que pour me rendre d'ici à là, il faut du temps, pour apprendre une langue, il faut du temps, pour faire n'importe quoi physiquement, il faut du temps. Mais le temps est-il nécessaire intérieurement? Si je peux comprendre la nature du temps, alors j'agirai à l'égard de l'élément temps dans le monde extérieur comme il convient, et ne lui permettrai pas d'intervenir dans l'état intérieur. Par conséquent, je ne commence pas par l'extérieur, me rendant compte que l'extérieur exige du temps. Mais je me demande si, s'agissant de la percep-

218

tion intérieure, de la décision, de l'action, le temps intervient en aucune façon. Et par conséquent je me demande: une décision est-elle nécessaire, la décision étant peut-être un fragment instantané du temps — une seconde, un point. « Je décide » signifie qu'il *existe* un élément temps; la décision étant basée sur la volonté et le désir, choses qui impliquent le temps. Je me demande donc pourquoi une décision d'aucune sorte devrait-elle intervenir? Ou bien une telle décision fait-elle partie de mon conditionnement qui me dit: « Il me faut du temps »?

Par conséquent, existe-t-il perception et action sans décision? Autrement dit, j'ai conscience de ma peur, une peur née de ma pensée, de mes souvenirs passés, de mon expérience, cette incarnation de la peur d'hier se produisant aujourd'hui. J'ai compris toute la nature, la structure, l'intériorité de la peur. Et la seule vision de la chose, sans aucune décision, voilà l'action qui est en même temps la libération de cette peur. Ceci est-il possible? N'allez pas dire oui, je l'ai fait moi-même, ou quelqu'un d'autre l'a fait — ce n'est pas là la question. Une telle peur peut-elle prendre fin instantanément, à l'instant même où elle surgit? Il y a les peurs superficielles, qui sont les peurs de ce monde. Le monde est plein de tigres et ces tigres, qui sont parties de moi-même, se préparent à détruire, et par conséquent il y a une guerre entre moi — une partie du tigre — et tous les autres.

Il y a aussi la peur intérieure — insécurité, incertitude psychologique — tout cela est né de la pensée. Celle-ci engendre le plaisir, elle engendre aussi la peur — tout cela je le vois. Je vois le danger de la peur de la même façon que je vois le danger d'un serpent, d'un précipice, d'une eau courante profonde — j'aperçois ce danger pleinement. Et le fait même de le voir en est la fin, sans qu'il soit besoin d'un intervalle ou de la moindre seconde pour prendre une décision.

Question. — Il existe des cas où l'on reconnaît la peur et où on la ressent toujours.

Krishnamurti. — Ce point mérite d'être soigneusement approfondi. Tout d'abord, je ne veux pas me débarrasser de la peur. Je veux l'exprimer, la comprendre, la laisser couler, lui permettre de venir et d'exploser en moi, et tout ce qui s'ensuit. De la peur elle-même je ne sais rien. Je sais que j'ai peur. Et maintenant, je veux découvrir à quel niveau, à quelle profondeur j'ai peur, consciemment, ou bien encore à la racine même de mon être, dans ses couches les plus profondes — dans les cavernes, dans les recoins inexplorés de mon esprit. Je veux découvrir. Je veux que tout cela soit exposé, dévoilé, mis en lumière. Et comment m'y prendre? Il faut que je le fasse — non pas petit à petit — vous comprenez? Il faut que cela surgisse de mon être complètement.

Question. — S'il y a des milliers de tigres et que je suis assis sur le sol, je ne peux pas les voir. Mais si je m'élève à un plan au-dessus, je pourrai les prendre en main.

Krishnamurti. — Pas de « si ». « Si je pouvais voler, je verrais la beauté de la terre. » Je ne peux pas voler, je suis ici. Je crains fort que toutes ces questions théoriques soient sans valeur et, apparemment, nous ne nous en rendons pas compte. J'ai faim et vous prétendez me nourrir de théories. Voici un problème, je vous en prie, regardez-le, nous avons tous peur, chacun ressent une peur d'une sorte ou d'une autre. Il y a des peurs profondes, cachées et aussi celles qui sont superficielles, que je connais bien, les peurs de ce monde, celles qui surgissent à l'idée que je pourrais perdre ma situation ou ceci ou cela — perdre ma femme, mon fils. Tout cela que je connais très bien ! Et il y a peut-être des couches plus profondes de peur. Et alors comment puis-je, moi, cet esprit qui est le mien, comment peut-il exposer tout cela instantanément ? Qu'en dites-vous ?

Question. — Prétendez-vous que nous devons chasser l'animal une fois pour toutes ou avons-nous à le chasser chaque fois ?

Krishnamurti. — Cet auditeur demande : prétendez-vous qu'il est possible de chasser l'animal complètement et pour toujours, et ne pas le chasser un jour pour qu'il revienne le lendemain. C'est ce que nous disons. Nous ne voulons pas chasser l'animal de façon répétée. C'est là ce que toutes les écoles, tous les saints, toutes les religions et tous les psychologues prétendent : chassez-le petit à petit. Pour moi cela n'a pas de sens. Je veux découvrir comment chasser l'animal de sorte qu'il ne revienne

221

jamais. Et quand il revient, je sais comment m'y prendre, il ne pénétrera pas dans la maison. Vous comprenez?

Question. — Le temps est venu d'appeler l'animal par son nom : c'est la pensée. Et quand elle reviendra, nous saurons comment agir à son égard.

Krishnamurti. — Je ne sais pas quoi faire — nous allons voir. Vous êtes tous tellement pressés!

Question. — Mais c'est notre vie — il nous faut être pressés!

Krishnamurti. — Vous êtes tellement pressés de répondre (et c'est ce que je voulais dire). Evidemment qu'il nous faut être pressés. Mais c'est un sujet tellement difficile ; vous ne pouvez pas jeter à la volée une quantité de mots. Tout ceci exige du soin.

Question. — Mais pourquoi est-ce que nous ne percevons pas tout de suite et immédiatement?

Krishnamurti. — C'est précisément ce que je propose.

Question. — Qu'est-ce qui se passe si je vous regarde? Tout d'abord je reçois de vous une présentation. S'il vous plaît, regardez-moi. La première chose qui se passe c'est une représentation visuelle de moi, d'accord? Et qu'est-ce qui se passe alors? Une pensée surgit au sujet de cette présentation.

Krishnamurti. — C'est là ce que disait la dame, exactement la même chose. L'animal c'est la pensée. Veuillez vous en tenir à cet animal, s'il vous plaît. Ne dites pas l'animal est la pensée, ou le moi, ou le je, ou l'égo, ou la peur, ou l'avidité, ou l'envie, pour revenir à une

222

nouvelle description de la chose. Cet animal, nous le disions, c'est *tout* cela. Et nous voyons que cet animal ne peut pas être chassé graduellement, parce qu'il reviendra toujours sous des formes différentes. En étant plus ou moins lucide, je dis : « Comme tout ceci est bête. » Cette poursuite constante de l'animal — il revient sans cesse et sans cesse il faut le chasser. Je veux découvrir s'il est possible de le chasser complètement de façon à ce qu'il ne revienne jamais.

Question. — Je vois en moi des fonctions différentes, agissant à des vitesses différentes. Si l'une de ces fonctions en poursuit une autre, il ne se passe rien. Par exemple, quand l'émotion poursuit l'idée. Il faut regarder avec toutes les fonctions à la fois.

Krishnamurti. — Vous exprimez la même idée avec des paroles différentes.

Question. — Vous aviez commencé à donner une explication, elle a été interrompue. Vous avez dit que vous ne désiriez pas du tout vous débarrasser de la peur.

Krishnamurti. — Je vous ai dit tout d'abord, je ne veux pas me débarrasser de l'animal. Je ne veux pas le pourchasser. Avant de saisir un fouet ou un gant de velours, je voudrais savoir qui est celui qui se propose de le pourchasser. C'est peut-être un tigre qui est plus grand que tous les autres. Alors je me dis : je ne veux pourchasser rien du tout. En voyez-vous l'importance !

Question. — Le pourchasser jusqu'au bout pourrait être éventuellement une sentence de mort.

Krishnamurti. — Non, je n'en sais rien. Avançons lentement, monsieur, et permettez-moi d'expliquer. Je dis qu'avant de pourchasser l'animal, il me faut découvrir quelle est l'entité qui se propose de le faire. Et j'ai dit : « C'est peut-être un tigre plus grand que les autres. » Si je veux me débarrasser de tous les tigres, cela ne sert à rien de s'adresser à un tigre plus grand pour en chasser un petit. Alors je me dis : « Attendons, je ne veux rien pourchasser du tout ». Voyez ce qui se passe dans mon esprit. Je ne veux rien pourchasser, mais je veux regarder, je veux observer, je veux voir très clairement si c'est un gros tigre qui se propose d'en pourchasser un petit. Et ce jeu se continue éternellement, et c'est bien ce qui se passe dans notre monde — la tyrannie d'un pays pourchassant un pays plus petit.

Je suis donc extrêmement conscient, suivez-moi, s'il vous plaît, de ce qu'il ne me faut rien pourchasser du tout. Il faut que je déracine ce principe qui consiste à pourchasser quelque chose, à le dominer, à le conquérir. Parce que la décision qui affirme : « Il faut que je me débarrasse de ce tout petit tigre », peut subitement croître et devenir elle-même un grand tigre. Il faut donc une cessation complète de toute décision, de tout désir de pourchasser quoi que ce soit, de se débarrasser de quoi que ce soit. Dès lors je peux regarder. Alors je me dis (je parle verbalement) : « Je ne vais rien pourchasser. » Par conséquent, je me suis libéré du fardeau du temps, lequel consiste à faire chasser un tigre par un autre. Pro-

(224)

cessus qui implique un intervalle de temps et, par conséquent, je me dis : « Je ne vais rien faire du tout, je ne
vais pas pourchasser, je ne vais pas agir, je ne vais pas
décider, il me faut d'abord regarder. » *the mee... vivre de l'instant*

Et je regarde — ce n'est pas l'égo mais l'esprit qui
regarde, le cerveau qui observe. Je peux déceler certains
tigres, la mère tigre avec ses petits et son mâle ; tout cela
je peux l'observer, mais il doit y avoir des choses encore
plus profondes enfouies en moi, elles doivent toutes être
exposées. Vais-je les exposer par mes actions, mes accomplissements ? Me laissant de plus en plus aller à la colère
pour me calmer ensuite, et puis huit jours plus tard me
mettant de nouveau en colère pour me calmer encore !
Ou bien y a-t-il une façon de contempler tous les tigres,
le petit, le grand, celui qui prend naissance à l'instant
même — tous. Puis-je les observer tous si complètement *ATTENTION..*
que j'ai compris tout le processus ? Si je n'en suis pas
capable alors ma vie continuera dans la même vieille
routine, le chemin bourgeois, le chemin compliqué, stupide, plein de ruses. C'est tout. Donc, si vous avez su
comment écouter, le sermon de la matinée est fini.

Vous souvenez-vous de cette histoire d'un maître qui
parle à ses disciples tous les matins ? Un jour il monte
sur l'estrade et un petit oiseau vient s'asseoir sur le
rebord de la fenêtre et se met à chanter, et le maître le
laisse faire. Après un certain temps l'oiseau s'envole. Et
le maître dit à ses disciples : « Le sermon de ce matin
est fini. »

225

CHAPITRE XII

PÉNÉTRER L'INCONNU

Action issue du silence. Voyage intérieur. Faux voyages et inconnu « projeté »

(Saanen, Suisse, 9 août 1969)

Krishnamurti. — Nous nous demandions comment se débarrasser de toute la ménagerie que l'on renferme en soi. Nous discutons de tout cela parce que nous voyons — ou tout au moins je vois — qu'il nous faut pénétrer dans l'inconnu. En somme, tout bon mathématicien ou physicien se voit forcé d'examiner l'inconnu, et aussi peut-être l'artiste s'il ne se laisse pas emporter par ses émotions et son imagination. Et nous, nous autres gens ordinaires avec nos problèmes quotidiens, devons vivre avec le sentiment d'une compréhension profonde. Il nous faut aussi pénétrer dans l'inconnu. Or, un esprit, lancé à la poursuite d'animaux de sa propre invention, les dragons, les serpents, les singes avec toutes leurs misères et leurs contradictions — c'est ce que nous sommes — est absolument incapable de pénétrer l'inconnu. Nous autres, gens ordinaires, qui n'avons reçu en partage ni une intelligence hors ligne, ni de vastes visions, mais qui vivons nos vilaines petites vies quotidiennes et monotones, nous proposons de changer tout cela instantanément. Tel est l'objet de nos réflexions.

Les gens se modifient sous l'influence de nouvelles inventions, de nouvelles pressions, de nouvelles théories, de nouvelles situations politiques ; toutes ces choses entraînent des changements d'une certaine qualité. Mais nous parlons d'une transformation profonde et radicale de notre être et nous demandons si une telle révolution peut se produire graduellement ou instantanément. Hier nous avons examiné tout ce qu'impliquent le changement graduel, la notion de distance, le temps et l'effort nécessaires pour parcourir cette distance. Comme nous l'avons constaté, telle a été la tentative des humains depuis des millénaires, mais malgré tout, il ne semble pas qu'ils aient pu changer radicalement — à l'exception peut-être d'une ou deux personnes. Nous devons donc voir s'il nous est possible, à chacun de nous et par conséquent au monde — car le monde est nous-mêmes et nous sommes le monde, ce ne sont pas choses différentes — de balayer instantanément toute cette existence de labeur, de colère et de haine, l'hostilité que nous avons créée et l'amertume que nous portons en nous. Celle-ci est apparemment une des choses qui nous est la plus habituelle. Si ses causes nous en sont connues, si nous décelons sa structure, ne peut-elle être effacée instantanément ?

Ceci n'est possible, avons-nous dit, que grâce à l'observation. Quand l'esprit est capable de regarder avec la plus grande intensité, cette observation même est l'action qui met fin à l'amertume. Nous avons aussi examiné la question de l'action : s'il existe une action libre, spontanée, qui ne soit pas un effet de la volonté. Ou bien l'action est-elle toujours issue de la mémoire, de nos idéaux, nos contradictions, nos blessures, notre amertume et ainsi de suite? L'action tend-elle toujours à s'aligner sur un idéal, un principe ou un modèle? Comme nous l'avons dit, une telle action n'est absolument pas une action vraie parce qu'elle entraîne une contradiction constante entre « ce qui est » et « ce qui devrait être ». Quand vous avez un idéal, il existe une distance à parcourir entre ce que vous êtes et ce que vous devriez être. Le « ce que vous devriez être » peut vous prendre des années ou, selon certaines personnes, des réincarnations répétées avant d'atteindre cette Utopie parfaite. Nous avons aussi parlé d'« hier » s'incarnant en « aujourd'hui ». Que cet « hier » comprenne des millénaires ou soit de vingt-quatre heures seulement, il ne cesse pas d'opérer quand l'action est basée sur cette division entre le passé, le présent et l'avenir, le monde du « ce qui devrait être ».

Il y a aussi ces instants où l'on se trouve devant une grande crise, un défi, une grande douleur. L'esprit est alors étonnamment immobile, il est dans un état de choc. Je ne sais pas si vous l'avez observé. Quand vous contemplez une montagne le soir ou à l'aube, baignée dans une extraordinaire lumière, les ombres, l'immensité, la majesté, le sentiment de totale solitude. En voyant cette beauté, l'esprit est incapable de tout absorber, pendant un instant il est complètement figé. Toutefois, il surmonte assez rapidement ce choc et réagit alors selon son propre conditionnement, ses problèmes particuliers et ainsi de suite. Donc, il y a bien un instant de tranquillité complète, mais ce sentiment d'immobilité totale ne peut être maintenu. Ainsi, cette immobilité peut être la suite d'un choc. La plupart d'entre nous connaissent cet arrêt total ; il peut être produit extérieurement en conséquence d'un incident quelconque ou bien encore artificiellement, intérieurement, comme suite à une série de questions impossibles à résoudre telles que les posent certaines écoles de Zen, ou encore par des états agissant sur l'imagination, des formules selon lesquelles l'esprit est contraint au silence, toutes choses qui sont très évidemment assez puériles et symptômes d'une maturité fruste. Nous disons que pour un esprit capable de perception, dans le sens où nous l'entendons, celle-ci ne fait qu'un avec l'action. Pour percevoir ainsi, l'esprit doit être complètement calme, autrement il ne peut pas voir. Si je veux entendre ce que vous dites, il me faut écouter dans le silence. Toute pensée vagabonde, toute interprétation de vos paroles, tout sentiment de résistance, empêchent d'entendre vraiment.

Donc, un esprit qui se propose d'écouter, d'observer, de voir ou de regarder, doit nécessairement être extraordinairement tranquille et une telle tranquillité ne peut absolument pas être obtenue par l'effet d'un choc ou par absorption dans une idée particulière. Quand un enfant se laisse absorber par un jouet, il est tout à fait tranquille, il joue. Mais le jouet, en absorbant son esprit, l'a *contraint* à la tranquillité. Dans le cas de prise de drogue ou d'autres processus artificiels, il y a ce sentiment d'être absorbé par quelque chose de plus vaste — un tableau, une image, une utopie. Mais l'esprit silencieux, immobile, dont nous parlons, ne peut naître que grâce à la compréhension de toutes les contradictions, les perversions, le conditionnement, les peurs, les déformations. Nous demandons si ces craintes, ces souffrances, ces confusions peuvent toutes être balayées instantanément, permettant à l'esprit, dans le silence, d'observer, de pénétrer.

Cela peut-il être fait ? Pouvez-vous véritablement vous regarder dans un silence complet ? Dès que l'esprit entre en activité, il déforme ce qu'il voit, il traduit, il interprète, disant : « Ceci me plaît, ceci me déplaît. » Il est soumis à des états intenses d'émotivité, d'excitation et un tel esprit est absolument incapable de voir.

Nous demandons donc si les êtres humains, tels que nous sommes, sont capables de le faire ?

Quel que je sois, puis-je me regarder moi-même, connaissant le danger de mots tels que « peur » ou « amertume », sachant que le mot lui-même est un obstacle à la vision de « ce qui est » ? Suis-je capable d'observer, connaissant tous les pièges du langage ? Et aussi sans qu'intervienne la notion de temps — aucun sentiment de vouloir « parvenir », « se débarrasser de » — simplement observer dans le calme, l'attention, l'intensité. Dans un tel état d'intense attention, les cheminements cachés, les recoins dissimulés de l'esprit sont aperçus et en cela il n'y a aucune analyse d'aucune sorte, uniquement perception. L'analyse implique le temps et aussi l'existence d'un analyseur et de l'objet de son analyse. Cet analyseur et l'objet analysé ne sont-ils pas une seule et même chose? Dans le cas contraire, l'analyse n'aurait pas de sens. Il faut avoir conscience de tout ceci et le mettre de côté — le temps, l'analyse, la résistance, le désir de parvenir, de surmonter et ainsi de suite — parce que cette porte-là débouche sur une souffrance qui ne connaît pas de fin.

Ayant écouté tout ceci, pouvez-vous véritablement le faire? C'est vraiment une question importante. Il serait vain de demander « comment ». Personne ne vous dira quoi faire, personne ne vous donnera l'énergie nécessaire. Il faut beaucoup d'énergie pour observer. Un esprit silencieux est lui-même énergie totale, ignorant tout gaspillage, autrement il n'est pas silencieux. Est-on capable de se regarder soi-même avec cette énergie totale et si complète que la vision ne fait qu'un avec l'action, mettant ainsi fin au problème?

Question. — Monsieur, votre question n'est-elle pas complètement impossible?

Krishnamurti. — Est-ce une question impossible? Si c'est une question impossible, pourquoi êtes-vous tous assis ici? Pour écouter une voix qui parle, un ruisseau qui coule, passer d'agréables vacances au milieu des collines, des montagnes, des prairies? Pourquoi ne pouvez-vous pas le faire? Est-ce tellement difficile? Cela exige-t-il un cerveau très intelligent? Ou bien encore ne vous étant jamais vraiment observé de toute votre vie, vous vous apercevez que c'est impossible. Il faut pourtant faire quelque chose quand la maison brûle! Vous ne dites pas: « C'est impossible », « je ne veux pas le croire », « il n'y a rien que je puisse faire ». Vous ne vous asseyez pas pour regarder l'incendie! Vous faites quelque chose, qui a un rapport avec le fait immédiat et non pas un rapport avec ce que vous pensez devoir exister. L'immédiat, le réel, c'est la maison qui brûle — peut-être ne pouvez-vous pas éteindre l'incendie complètement avant l'arrivée des pompiers, mais en attendant — en fait il n'y a pas de « en attendant » — vous agissez en rapport avec l'incendie.

Donc, quand vous dites que c'est une question impossible, aussi difficile, aussi impossible que de mettre un canard dans une petite bouteille — cela prouve que vous ne vous rendez pas compte de l'incendie. Pourquoi ne s'en rend-on pas compte? La maison qui brûle c'est le monde, le monde qui est vous-même, avec tout votre mécontentement, toutes les choses qui se passent en vous et dans ce qui vous entoure. Et si vous n'en êtes pas conscient, pourquoi? Parce qu'on n'est pas intelligent, parce qu'on n'a pas lu beaucoup de livres, parce qu'on n'est pas sensible à ce qui se passe en soi ou autour de soi?

Et si vous dites : « Je regrette, mais je ne le sens pas », alors pourquoi ne le sentez-vous pas ? Quand vous êtes en colère, quand on vous insulte, vous êtes sensibilisé, vous vous en rendez compte, comme vous l'êtes si l'on vous flatte ou si vous poursuivez la satisfaction d'un désir sexuel ; dans ces conditions-là vous êtes très conscient. Mais ici vous dites : « Je ne le suis pas. » Alors que faire ? S'appuyer sur quelqu'un qui vous encourage et qui vous stimule ?

Question. — Vous prétendez qu'il faut une mutation et que celle-ci peut se produire si l'on observe ses propres désirs, ses propres pensées, et encore vous dites que cela peut se produire instantanément. Je l'ai fait une fois sans qu'il s'ensuive aucun changement. Si nous agissons selon votre suggestion, est-ce alors un état permanent ou faut-il persister régulièrement, quotidiennement ?

Krishnamurti. — Cette perception, cette action, doit-elle avoir lieu une fois pour toutes ou doit-elle être poursuivie quotidiennement ? Qu'en pensez-vous ?

Question. — Il me semble que cela peut être fait après avoir écouté de la musique.

Krishnamurti. — Et par conséquent la musique devient nécessaire tout comme une drogue, mais la musique est beaucoup mieux vue que la drogue. La question est celle-ci : doit-on regarder chaque jour, chaque minute, ou peut-on regarder d'une façon si complète un seul jour qu'ainsi tout le processus prenne fin ? Puis-je, quand une fois j'ai vu la chose dans son entier, m'endormir jusqu'à la fin des temps? Vous comprenez la question? J'ai le regret de dire qu'il faut observer chaque jour et ne pas s'endormir. Il vous faut prendre conscience non seulement des insultes, des flatteries, de la colère, du désespoir, mais encore de toutes les choses qui se passent autour de vous et en vous à chaque instant. Vous ne pouvez pas dire : « Maintenant je suis complètement illuminé, libéré et rien ne peut plus me toucher. »

Question. — Au moment, à la minute, à l'instant où vous atteignez à cette perception et pour comprendre ce qui s'est passé, n'allez-vous pas supprimer la violente réaction qui a surgi en vous au moment de l'insulte? Cette perception n'est-elle pas tout simplement un escamotage de la réaction qui aurait eu lieu autrement? Au lieu de réagir on perçoit — la perception n'est peut-être pas autre chose que la suppression de la réaction.

Krishnamurti. — Nous avons déjà traité cette question, n'est-il pas vrai? Il se produit en moi une réaction d'aversion — je ne vous aime pas et j'observe cette réaction. Si je l'observe avec la plus grande attention, elle se révèle, exposant mon conditionnement, la culture dans laquelle j'ai été élevé. Et si j'observe encore et ne me suis pas assoupi, si l'esprit observe toujours ce qui est exposé, beaucoup, beaucoup de choses sont révélées — il n'est pas question de supprimer. Parce que la chose qui m'intéresse c'est de voir ce qui se passe, et non d'enjamber toutes les réactions. Je suis passionné de découvrir si l'esprit peut regarder, percevoir la structure

234

du moi, de l'ego, du soi. Et en tout cela comment aucune forme de suppression pourrait-elle exister?

Question. — Je ressens parfois un état de silence; peut-il surgir une action de ce silence?

Krishnamurti. — Demandez-vous comment ce silence peut être maintenu, prolongé, soutenu? Est-ce là votre question?

Question. — Puis-je continuer mon travail quotidien?

Krishnamurti. — Les activités quotidiennes peuvent-elles naître du silence? Vous attendez tous que je réponde à cette question. J'ai horreur d'être un oracle; il se trouve que je suis assis sur une estrade, mais je ne suis investi d'aucune autorité. Voici la question: un esprit qui est très calme, immobile, peut-il agir dans la vie quotidienne? Si vous séparez la vie quotidienne du silence, de l'utopie, de l'idéal — qui est silence — jamais les deux ne pourront se rencontrer. Puis-je maintenir une division entre les deux? Puis-je dire ceci est le monde, ma vie quotidienne et cela c'est le silence dont j'ai fait l'expérience, où je me suis frayé un chemin en tâtonnant. Puis-je traduire ce silence dans ma vie quotidienne? Vous ne le pouvez pas. Mais si les deux choses ne sont pas séparées, si la main droite *est* la main gauche, s'il y a harmonie entre les deux, entre le silence et la vie quotidienne, quand il y a unité, alors jamais on ne demandera: « Puis-je agir à partir de ce silence? »

Question. — Vous parlez d'une lucidité, d'une prise de conscience, d'une vision intense. Ne pourrait-on pas dire que c'est le degré d'intensité dès le début qui rend la chose possible?

Krishnamurti. — On est essentiellement intense; il existe cette intensité profonde et fondamentale qui est en nous. Est-ce là la question?

Question. — C'est la façon dont on l'aborde avec une passion, non pas pour *elle*, mais il semble que ce soit une nécessité première.

Krishnamurti. — Que nous possédons d'avance. Oui?

Question. — Oui et non.

Krishnamurti. — Monsieur, pourquoi admettons-nous tant de choses d'avance? Ne peut-on pas entreprendre un voyage et examiner sans *rien* savoir d'avance? Un voyage en soi-même est entrepris sans que l'on sache ce qui est bien ou mal, bon ou mauvais, ce qui devrait être, ce qui ne devrait pas être, mais simplement le voyage est entrepris sans que l'on soit embarrassé d'aucun fardeau. C'est une nuance des plus difficiles à saisir, ce voyage intérieur dépourvu de toute sensation de fardeau. Et c'est au cours du voyage que vous découvrez — vous ne vous mettez pas en route en disant : « Ceci ne doit pas être, ceci devrait être. » Il semblerait que c'est là une des choses les plus difficiles à faire, je ne sais pas pourquoi. Voyez, messieurs, il n'existe personne qui puisse vous aider, l'orateur compris; personne en qui vous puissiez avoir foi, et j'espère bien que vous n'avez foi en *personne*, aucune autorité qui puisse vous dire ce qui existe ou ce qui devrait être, qui vous conseille une direction plutôt qu'une autre, d'éviter des pièges, tout cela bien indiqué d'avance — non, vous avancez tout seul. En êtes-vous capables? Vous dites : « Je ne peux pas le faire parce que j'ai peur. » Alors, emparez-vous de la peur, approfondissez-la et comprenez-la à fond. Oubliez le voyage, oubliez l'autorité — examinez la totalité de cette chose nommée peur — la peur, parce que vous n'avez personne sur qui vous appuyer, personne qui vous dise quoi faire. Vous avez peur parce que vous pourriez vous tromper. Alors trompez-vous, et en observant votre erreur, vous en sortirez instantanément.

Découvrez à mesure que vous avancez. En cela il y a plus de créativité que dans la peinture d'un tableau, la composition d'un livre, une activité théâtrale ou toute autre singerie. C'est plus, si je peux me permettre ce mot, passionnant, il y a un plus grand sentiment de...

Question. — D'exaltation?

Krishnamurti. — Oh! n'allez pas me souffler un mot.

Question. — Si la vie quotidienne se passe sans l'intervention d'un observateur, rien alors ne vient troubler le silence.

Krishnamurti. — C'est là tout le problème. Mais l'observateur est toujours à jouer des tours à sa façon. Il projette toujours son ombre, donnant ainsi naissance à de nouveaux problèmes. Nous demandons si vous et moi pouvons entreprendre un voyage intérieur, sans rien savoir d'avance et en découvrant à mesure que nous avançons, nos désirs sexuels, nos soifs, nos intentions. C'est une immense aventure, beaucoup plus passionnante que d'aller dans la lune.

Question. — Mais voici le problème; eux savaient où ils allaient quand ils ont entrepris d'aller à la lune, ils connaissaient la direction. Intérieurement il n'y a pas de direction.

Krishnamurti. — Ce monsieur dit qu'aller à la lune est une action objective, nous savons où nous allons, mais ici, quand il s'agit d'un voyage intérieur, nous ne le savons pas. Nous éprouvons par conséquent un sentiment d'insécurité et de peur. Si vous savez où vous allez, vous ne pénétrerez jamais dans l'inconnu et, par conséquent, vous ne serez jamais cet homme vrai qui découvre ce qui est éternel.

Question. — Peut-il y avoir une perception immédiate et totale sans l'aide d'un maître?

Krishnamurti. — C'est de cela que nous avons parlé.

Question. — Nous n'en avons pas fini avec l'autre question: ceci est un problème parce que nous savons où nous allons; nous voulons nous cramponner au plaisir, nous ne désirons vraiment pas l'inconnu.

Krishnamurti. — Oui, nous voulons tenir solidement le tablier du plaisir par la bride. Nous voulons tenir solidement les choses que nous connaissons. Et encombrés de tout cela nous voulons entreprendre un voyage. Avez-vous jamais fait l'ascension d'une montagne? Plus vous êtes chargés, plus c'est difficile. Même pour gravir ces petites collines, si vous portez un poids lourd, c'est assez

238

pénible, et si vous vous proposez de gravir une montagne, il vous faut être beaucoup plus libres encore. Je ne vois véritablement pas où est la difficulté. Nous voulons emporter avec nous tout ce que nous connaissons — les insultes, les résistances, les absurdités, les joies, les exaltations, tout ce que nous avons connu. Quand vous dites, je vais entreprendre un voyage en emportant tout cela, vous vous dirigez ailleurs et non pas vers ce que vous portez. Votre voyage, par conséquent, n'est qu'imagination et irréalité. Mais faites le voyage pour pénétrer au sein des choses que vous portez, le connu — non pas dans l'inconnu — au sein de ce que vous connaissez déjà : vos plaisirs, vos délices, vos désespérances, vos douleurs. Pénétrez toutes ces choses dans votre voyage, c'est tout ce que vous avez. Vous dites, je vais faire un voyage dans l'inconnu en emportant tout cela et l'inconnu par-dessus le marché, y ajoutant de nouveaux plaisirs, de nouvelles joies. Ou, encore, ce voyage peut être si dangereux que vous allez dire : « Je ne veux pas l'entreprendre. »

Table des matières

241

Deuxième partie. DIALOGUES

Achevé d'imprimer
3e trimestre 1978
pour le compte des
Éditions Delachaux Niestlé Spes
sur les presses de l'imprimerie de Montligeon
61400 La Chapelle Montligeon
Dépôt légal n° 9857